The YOM KIPPUR AVODAH

עבודת יום הכפורים

A Descriptive and Pictorial Guide to the Yom Kippur Avodah As Presented in Parshas Achray Mos

Also featuring translations of the descriptions of the *Avodah* in the *Mussaf* prayer of the *Yom Kippur Machzor, Nusach Ashkenaz* and *Nusach Sfard.*

Menachem Moshe Oppen

M'chon Harbotzas Torah, Inc.
3908 Bancroft Road • Baltimore, MD. 21215
(301) 358-2543

C.I.S. Publications
180 Park Avenue • Lakewood, NJ. 08701
(201) 367-7858/364-1629

Other volumes in
The Pictorial Avodah Series:

THE KORBAN OLAH:
A Pictorial Guide to the Korban Olah

THE KORBAN MINCHA:
A Pictorial Guide to the Korban Mincha

THE LAWS OF TZORAAS:
A Pictorial Guide to the Laws of Tzoraas
as Presented in Parshas Tazria

In Preparation:
THE LAWS OF MITZORA:
A Pictorial Guide to the Laws of Mitzora
as Presented in Parshas Mitzora

THE KORBAN CHATTAS:
A Pictorial Guide to the Korban Chattas

THE KORBAN SHELAMIM:
A Pictorial Guide to the Korban Shelamim

M'chon Harbotzas Torah
3908 Bancroft Road
Baltimore, MD 21215
(301) 358-2543

ISBN 0-935063-51-X h/c
ISBN 0-935063-52-8 s/c

Distributed by:
C.I.S. Distributors
180 Park Avenue
Lakewood, NJ 08701
(201) 367-7858/364-1629

Graphic Design:
Ronda Kruger Israel

Illustrations:
Shepsil Scheinberg

Typography:
Chaya Hoberman
Shami Reinman

TABLE OF CONTENTS

לז"נ

ר' אברהם דוב

ב"ר

יצחק מנחם הכהן

ABRAHAM B. WENGROW

The role of a כהן is to be מקדש שם שמים by serving כלל ישראל through his עבודה. Abraham Wengrow ז"ל was dedicated to the עבודת הלב of the כהן. He was an אוהב שלום ורודף שלום whose גמילת חסדים benefitted both individuals and the entire community. His תפילה as שליח ציבור on the ימים נוראים inspired and elevated the קהל he served. He studied and taught *Torah* and instilled *Torah* values in his children and grandchildren. His unending suppport of רבנים and מוסדות התורה was the manifestation of his own understanding of their true value.

As their כהונה is passed down from generation to generation so did ר' אברהם דוב ב"ר מנחם הכהן ז"ל receive from his parents and parents-in-law the example he followed:

ר' יצחק מנחם ב"ר מנחם הכהן ז"ל

ורחל לאה ב"ר ראובן הלוי ע"ה

WENGROW

ר' ישעי' יצחק ב"ר דוב הכהן ז"ל

וטישא ב"ר רפאל ע"ה

FUCHS

They left the poverty and persecution of Eastern Europe and arrived in America during the depression. Though faced with great hardship in a secular society, they never compromised nor veered from their adherence to *Torah* and *Mitzvos*.

Abraham Wengrow ז"ל carried forth the ideals he learned and imbued them with the depth of his own feelings. The love which encompassed all he did and which was felt by all who knew him was the fulfillment of the goal of a כהן to be מברך את עמו ישראל באהבה.

We his family, whose lives have been molded by his love and his quiet קדושה, dedicate this *sefer* **לזכר נשמתו**.

תנצב"ה

[illegible]

ABRAHAM B. WENGROW

The soul of a man is to be only [illegible] by seeing [illegible] through his [illegible] Abraham Wengrow's [illegible] dedicated to the [illegible] of the [illegible]. He [illegible] community and [illegible] both individuals and the entire community. His [illegible] on the [illegible] and elevate [illegible] He [illegible] and [illegible] Torah and [illegible] values in his children and grandchildren. His [illegible] was the manifestation of his own understanding of [illegible] value.

As their [illegible] passed down from [illegible] to generation so did [illegible] inherit [illegible] and [illegible] and follow the example he followed.

[illegible]

[illegible]

WENGROW

[illegible]

[illegible]

FUCHS

They left the poverty and persecution of Eastern Europe and arrived in America during the depression. Though faced with great hardship in a secular society, they never compromised nor veered from their adherence to Torah and Mitzvos.

Abraham Wengrow [illegible] carried forth the ideals he learned and imbued them with the depth of his own feelings [illegible] which [illegible] all he did and which was felt by all who knew him [illegible] the fulfillment [illegible]

We, his family, whose lives have been [illegible] by his love and his [illegible], dedicate this [illegible]

[illegible]

PREFACE

Just as the *Mitzvos* relating to *Rosh Hashanah, Pesach* and *Sukkos* characterize those *Yamim Tovim*, the *Yom Kippur Avodah*, as described in *Parshas Achray Mos* (*Vayikra, Perek* ט״ז), characterizes *Yom Kippur* as a time of atonement. Without the *Bais Hamikdash*, we are unable to participate in that experience, and it is difficult for us to visualize what *Yom Kippur* was really like. Therefore, in keeping with the other volumes in this series, it is the intended purpose of this *Sefer* to be of assistance in the study of those portions of the *Chumash* and Rashi that pertain to the *Yom Kippur Avodah*. Wherever commentaries differ on elements of the *Avodah*, Rashi's opinion, as outlined in his commentary on *Chumash*, has been followed. We have not found it necessary, however, to quote all of Rashi's explanatory comments, and the reader is referred to the original texts which are readily accessible.

In order to crystallize the concepts deriving from a study of the applicable portions of the *Chumash*, illustrations with a brief description have been presented. Comments on certain *Pessukim* which require greater elaboration have been presented separately. These comments explain difficult phrases and describe the functions of each of the *Korbanos* of *Yom Kippur*.

This volume also seeks to assist the reader in gaining a better understanding of the procedure of the day as it appears in the *Tefillos* of *Yom Kippur*. In order to accomplish this, the second section translates the descriptions of the *Avodah* in the *Machzor* and cross-references it to the explanation of the *Parshah* in the first section.

For a more comprehensive description of the *Avodah*, the reader is referred to *Mishnayos Yoma* and the Rambam.

It should be noted that the Torah groups the steps of the *Avodah* in an order that differs from the chronological sequence in which those steps were actually performed. (See Rashi on *Passuk* כ״ג.) The *Pessukim* are presented here according to the chronological sequence to make the *Avodah* easier to follow.

The illustrations are for the purpose of understanding the central concepts and do not always give an accurate picture of all the peripheral details. In particular, the repeated diagram of the *Bais Hamikdash*, showing the movements of the *Kohain Gadol*, is not drawn to scale in order to give adequate space to the area in which most of the *Kohain Gadol's* activity took place.

ACKNOWLEDGMENTS

I would like to express my sincere and humble gratitude to the *Ribono Shel Olam* for including the completion of this *Sefer* among the countless blessings He has bestowed upon me.

The Ksav Sofer used to say, "The important things we do are only accomplished with the aid of friends." This is certainly true with this volume. It would not have been possible without the aid of several close friends.

Reb Moshe Sauer has shown his strength when he aided me with the *Korban Minchah*. The fact that he devoted much more of his time and talent to this volume is certainly apparent in the final product.

Reb Aharon Prero is the key to the success of each and every volume in this series. Editing would be a very inadequate description for his contributions. His profound understanding of the subject matter has been extremely enlightening. His insights have been included throughout the entire series. In this volume, he also devoted his talents to creating an accurate translation of the *Payit*, which involved many hours of research. All who have benefited from the series, I am sure, are appreciative of his devoted work.

I am most grateful to my wife Leah for her encouragement and patience as well as for the constant typing and retyping involved until this book was perfected. The translation of the Roman's account which appears in this volume is also to her credit.

Unless one has experienced it, it is not possible to fathom the unbelievable amount of toil that goes into the production of a *Sefer*. This is certainly true when the subject matter is complicated and entails art, graphics, etc. I am sincerely thankful to the entire C.I.S. staff who wholeheartedly devoted their time and talents to produce this *Sefer*, which is so beautifully typical of a C.I.S. production, and I would like to offer particular commendations to Art Director Ronda Kruger Israel and Typographer Chaya Hoberman. Also, my special thanks to their artist Shepsel Scheinberg whose personality makes it a pleasure to work with him and who captures the precious "*pshat*" with his illustrations.

M'chon Harbotzas Torah is sincerely indebted to the many individuals who contributed their time, talents and support, thereby enabling us to accomplish the goal of making the Torah more accessible.

Introduction to the *Avodah*

Diagram Showing Features of *Bais Hamikdash* Pertaining to the *Avodah*

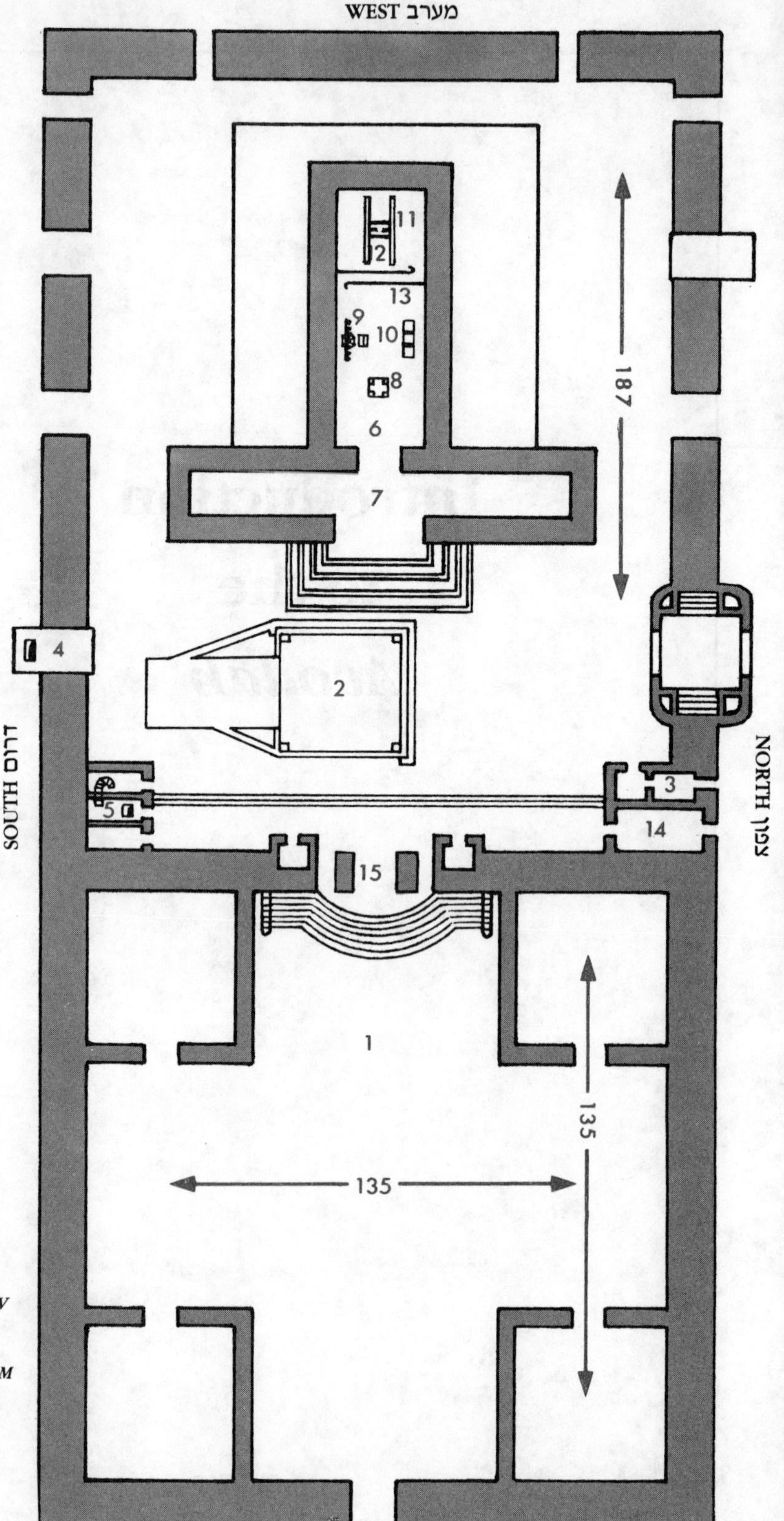

WEST מערב
EAST מזרח
SOUTH דרום
NORTH צפון
187
135
135
1
2
3
4
5
6
7
8
9
10
11
12
13
14
15

1. *EZRAS NASHIM*
2. *MIZBAYACH*
3. *LISHKAS PALHEDRIN*
4. *SHAAR HAMAYIM*
5. *BAIS HAPARVAH*
6. *HAICHAL*
7. *ULAM*
8. *MIZBAYACH HAZAHAV*
9. *MENORAH*
10. *SHULCHAN*
11. *KODESH HAKODOSHIM*
12. *ARON*
13. *PAROCHES*
14. *LISHKAS HAGAZIS*
15. *SHAAR NIKNOR*

INTRODUCTION

Since most of the *Yom Kippur Avodah* takes place in the *Bais Hamikdash*, it is essential to have a reasonable familiarity with the various areas in the *Bais Hamikdash* and what they contain in order to follow the procedures of the *Avodah*.

The *Bais Hamikdash*

The *Bais Hamikdash*, as the term is usually used, refers to the area within the wall which extended 322 *amos* (approximately 600 feet) by 135 *amos* (approximately 250 feet) on the *Har Habayis*.

The first 135 by 135 *amos* in the east was called the *Ezras Nashim* [1] ("the Women's Area," since its balcony was ordinarily used by women [2]). *Korbanos* could not be brought there. This area was used, among other things, for the reading of the Torah on *Yom Kippur*. [3] The adjoining area, measuring 135 by 187 *amos*, was called the *Azarah*. It housed the large copper *Mizbayach*. *Korbanos* were slaughtered in the *Azarah* and burned on the *Mizbayach*. [4]

The top of the outer *Mizbayach* measured 28 *amos* (about 55 feet) by 28 *amos*. [5] Three stacks of logs were arranged daily on the *Mizbayach*. [6] Each was called a *Maarachah*. The largest *Maarachah* was used for burning the *Korbanos*. The second largest was used primarily to produce embers for the burning of the *Ketores*. The function of the third *Maarachah* was to maintain a constant fire. [7] On *Yom Kippur*, a fourth *Maarachah* was added to produce embers for the burning of the incense in the *Kodesh Hakodoshim*. [8] In the center of the *Mizbayach* was the *Tapuach*, a pile of ashen residue from the burning of *Korbanos* on previous days. [9]

A number of rooms, called *Lishkos*, were attached to or built into the walls of the *Azarah*. [10] Their degree of *Kedushah* was determined largely by the location of their entrance. If the entrance to the room faced the *Azarah*, the room had the *Kedushah* of the *Azarah*. Otherwise, it did not have the *Kedushah* of the *Azarah*. [11] The room used as the living quarters of the *Kohain Gadol* was called the *Lishkas Palhedrin*. Its entrance faced out of the *Azarah*. [12]

Several *Mikvaos* were found in and around the *Bais Hamikdash*. Two were used by the *Kohain Gadol* on *Yom Kippur*. One was located outside of the *Azarah*, above the *Shaar Hamayim*. Another was located within the *Azarah*, above the *Bais Haparvah*. [13]

Near the western end of the *Azarah* was the *Haichal*, which in the second *Bais Hamikdash* was 100 *amos* tall. The *Haichal* consisted of three sections. The easternmost section, called the *Ulam*, was the entranceway. The middle section contained the *Mizbayach Hazahav* (golden altar),

Menorah and *Shulchan*. The westernmost section was the *Kodesh Hakodoshim*.[14] In the first *Bais Hamikdash*, the *Kodesh Hakodoshim* was separated from the rest of the *Haichal* by a solid wall which had a door in the center.[15] In the second *Bais Hamikdash*, the separation was two large parallel curtains an *amah* apart.[16] In the *Kodesh Hakodoshim*, the *Aron* rested on a large stone called the *Even Shesiyah*. There was no *Aron* in the second *Bais Hamikdash*.[17]

Korbanos Brought on *Yom Kippur*

Korbanos brought on *Yom Kippur*, as part of the daily *Avodah* as well as during the special *Yom Kippur Avodah*, included *Olos, Chattaos, Menachos, Nessachim* and *Ketores*.

A *Korban Olah* is a *Korban* which is completely burned on the *Mizbayach*. (See *The Laws of the Korban Olah*.) Some of its blood is dashed on the lower section of the *Mizbayach* at the corners.[18] On *Yom Kippur*, twelve animals were brought as *Olos*.

A regular *Chattas* is a *Korban* of which certain inner parts are burned on the *Mizbayach*. The blood of the *Chattas* was placed on the *Mizbayach*. The meat of the *Chattas* was eaten by the *Kohanim*. On *Yom Kippur*, one *Chattas* was brought as part of the *Korban Mussaf* of *Yom Kippur*. It was eaten at night after the fast concluded.[19]

A *Chattas Pnimis* (inner) is a *Korban* whose blood was sprinkled inside the *Haichal* in a manner described later. The body of the *Chattas Pnimis* was completely burned outside the *Bais Hamikdash*.[20] On *Yom Kippur*, one bull and one goat were brought as *Chattaos Hapnimiyos*.

A *Minchah* is a *Korban* primarily comprised of flour and oil. A *Minchas Nessachim* was the *Minchah* which accompanied every *Olah*. A *Minchas Chavitin* was the *Minchah* which the *Kohain Gadol* was obligated to bring each day of the year. (See *The Laws of the Korban Minchah*.) *Nessachim* refers to wine poured on the *Mizbayach* after each *Minchas Nessachim*.[21] On *Yom Kippur*, twelve *Menachos Nessachim* and one *Minchas Chavitin* were brought.

Ketores was a combination of different types of incense burned twice daily on the *Mizbayach Hazahav*. On *Yom Kippur*, *Ketores* was burned on the *Mizbayach Hazahav* on two occasions and once inside the *Kodesh Hakodoshim*.[22]

THE DAILY *AVODAH*

The *Avodah* on *Yom Kippur* consisted of the *Korbanos Tamid* as on every other day, the *Korbanos Mussaf* as on every other *Yom Tov* and the additional *Avodah* specific to *Yom Kippur*. The procedures of the *Avodah* on *Yom Kippur* began with those performed every day, except that on *Yom Kippur* the *Kohain Gadol* alone performed all the essential acitivities of the *Avodah*. The procedure throughout the year was as follows:

Immersion and Washing

Each day, before the *Kohanim* could enter the *Azarah*, they were required to immerse themselves in a *Mikveh*. [23] Then they had to wash their hands and feet with water from the *Kiyor*. The *Kiyor* was a copper vessel with spouts. Originally, it had two spouts. Later, ten more spouts were added. [24] Standing next to one of the spouts, the *Kohain* would place his hands on his feet, and while the water was flowing, he would gently rub his feet with his hands. [25] Optionally, the *Kohain* could use a vessel containing water from the *Kiyor*. This was the method used by the *Kohain Gadol* on *Yom Kippur*. [26]

SOUTHERN VIEW OF *BAIS HAMIKDASH*

בית המקדש

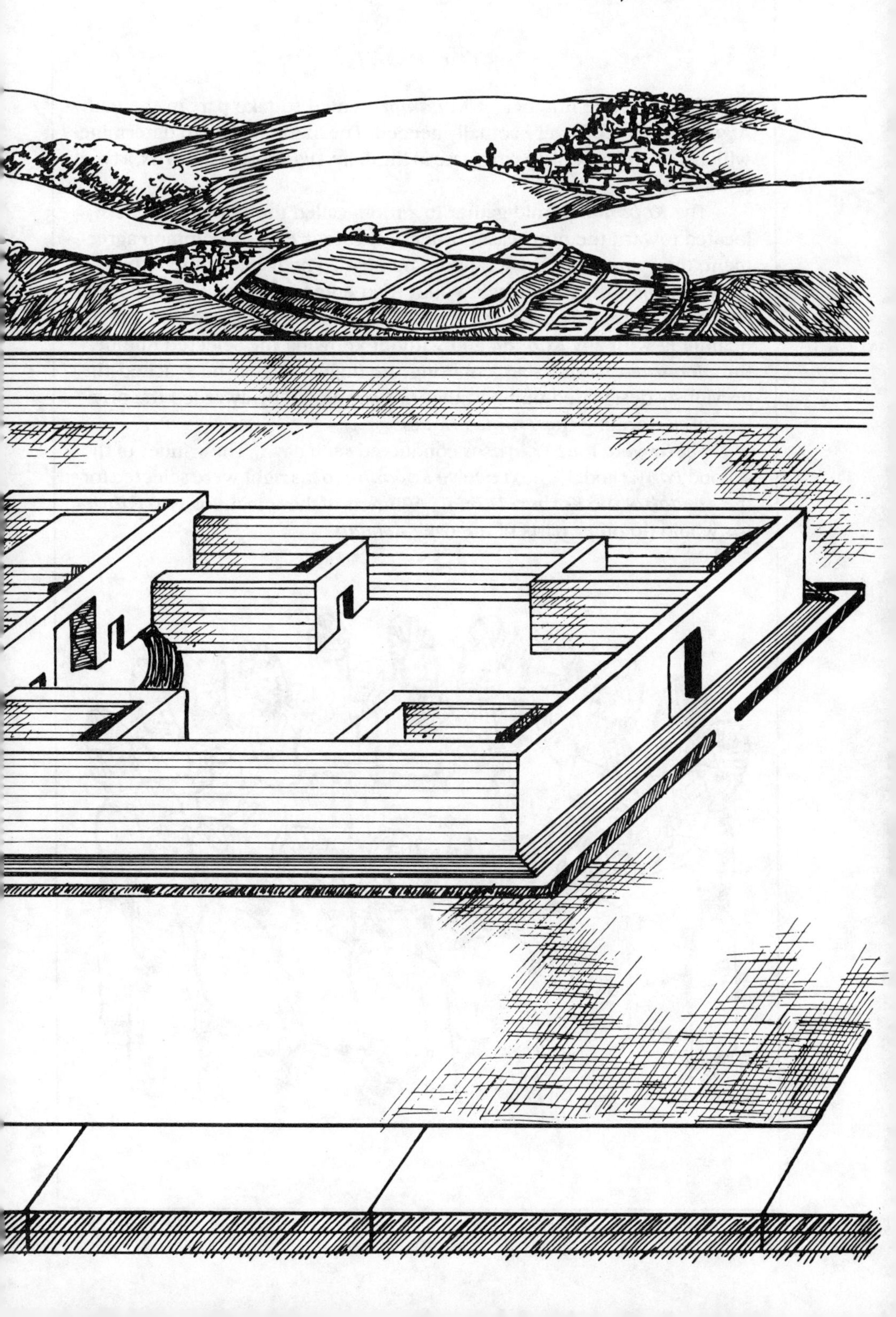

The *Pahyis*

While a large number of *Kohanim* wanted to take part in the daily *Avodah*, only a few were actually needed. The method used to determine which *Kohanim* would participate in the daily *Avodah* was a *Pahyis*, a type of lottery.

The *Kohanim* would gather in a room called the *Lishkas Hagazis*,[27] located toward the northeast corner of the *Azarah*.[28] By common agreement, they would choose a random number to be used for the *Pahyis*. A *Kohain* called the *Memuneh* would then enter and have the *Kohanim* form a circle. Each *Kohain* would put out one or two fingers to be counted. Beginning with any *Kohain*, and without knowing the selected number, the *Memuneh* would start counting the fingers. When he reached the previously designated number, that *Kohain* would be awarded the privilege of performing the *Trumas Hadeshen*.[29]

There were four *Pahyasos* conducted each day.[30] The winner of the second *Pahyis* and the next twelve *Kohanim* to his right were selected for the *Avodah* of the *Korban Tamid*.[31] Winners of the remaining two *Pahyasos* would do other parts of the daily *Avodah*.

The *Terumas Hadeshen*

Before the start of the daily *Avodah*, one shovelful of ashes from the previous day's *Korbanos* was lifted from the mound of ashes and deposited next to the *Mizbayach* ramp.[32] This was called the *Trumas Hadeshen*. The rest of the ashes were ultimately moved to the *Tapuach*.[33]

Preparation of the *Menorah*

The *Menorah* stood on the south side of the *Haichal*.[34] According to most opinions, the *Menorah* was not kindled until late afternoon. Even so, it was prepared with oil and wicks in the morning.[35]

Five of the seven lights were prepared before the *Ketores* was burned.[36] The remaining two were prepared after the *Ketores* was burned.[37]

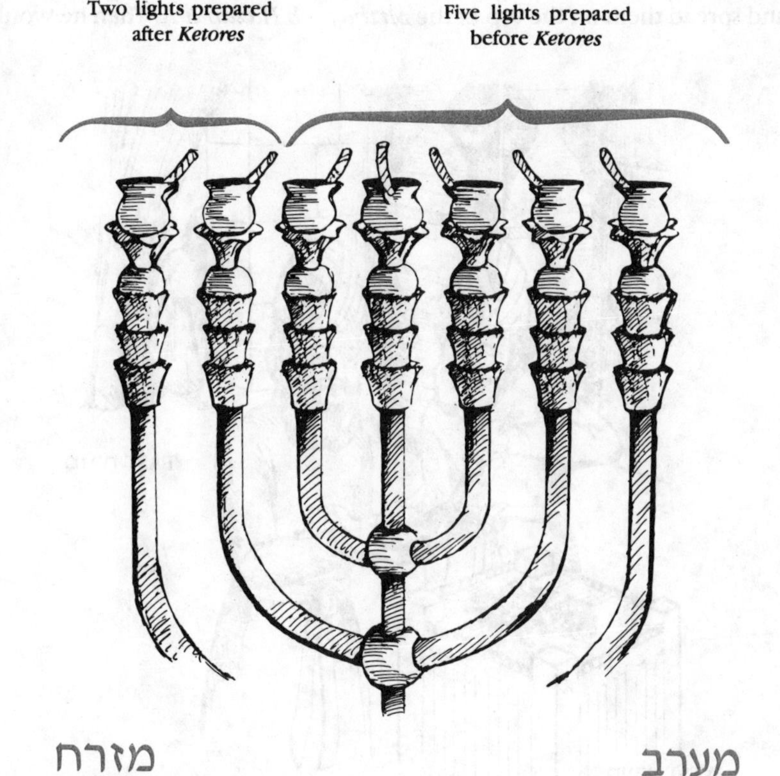

The *Shechitah, Kabalah, Holachah* and *Zerikah* of the *Korban Tamid*

A lamb was brought to the north side of the *Mizbayach*.[38] One *Kohain* performed the *Shechitah*. Another *Kohain* received the blood in a vessel called a *Mizrak*.[39] This *Avodah* was called the *Kabalah*. The *Mizrak* was positioned to catch all the blood of the *Shechitah*.[40] After the *Kabalah*, a *Kohain* would carry the blood to the *Mizbayach*. This was a separate *Avodah* called *Holachah*.[41] The *Kohain* would dash blood from the *Mizrak* onto the walls of the *Mizbayach* at the northeast and southwest corners.[42] The dashing of the blood was called the *Zerikah*.

Burning of the *Ketores*

The winner of the third *Pahyis* would bring incense for the *Ketores* to the *Mizbayach Hazahav*. At the same time, a second *Kohain* would bring a shovel full of embers from the second *Maarachah* of the outer *Mizbayach* and spread them on the top of the *Mizbayach Hazahav*.[43] Then he would

bow down and leave the *Haichal*, since no one was allowed in the *Haichal* while the *Ketores* was burned except for the *Kohain* performing the *Avodah*. [44] The first *Kohain* would then hand the container full of *Ketores* to an assisting *Kohain* who poured the *Ketores* back into the *Kohain's* cupped hands. [45] The assisting *Kohain* would bow and leave the *Haichal*. The first *Kohain* would then gently scatter the *Ketores* over the burning embers, bow down and leave the *Haichal*. [46]

Completion of the *Korban Tamid*

After the *Ketores* was burned, the *Kohanim* would complete the *Korban Tamid*. The group who won the fourth *Pahyis* brought the parts of the animal to the top of the *Mizbayach* and threw them onto the fire. [47] Other *Kohanim* took the *Korban Minchah* and *Minchas Chavitin* to the *Mizbayach*. Lastly, a *Kohain* poured the wine of the *Nessachim* on the *Mizbayach* while the *Leviim* sang and played instruments. [48] All other *Korbanos* of private individuals, and on *Yom Tov*, the *Korbanos Mussaf* of the community, can then be brought. [49]

The last *Korban* of the day was the *Korban Tamid* of the afternoon with its accompanying *Minchah* and another *Ketores* offering. The procedure was similar to the one for the *Tamid* of the morning. [50]

SOUTH דרום

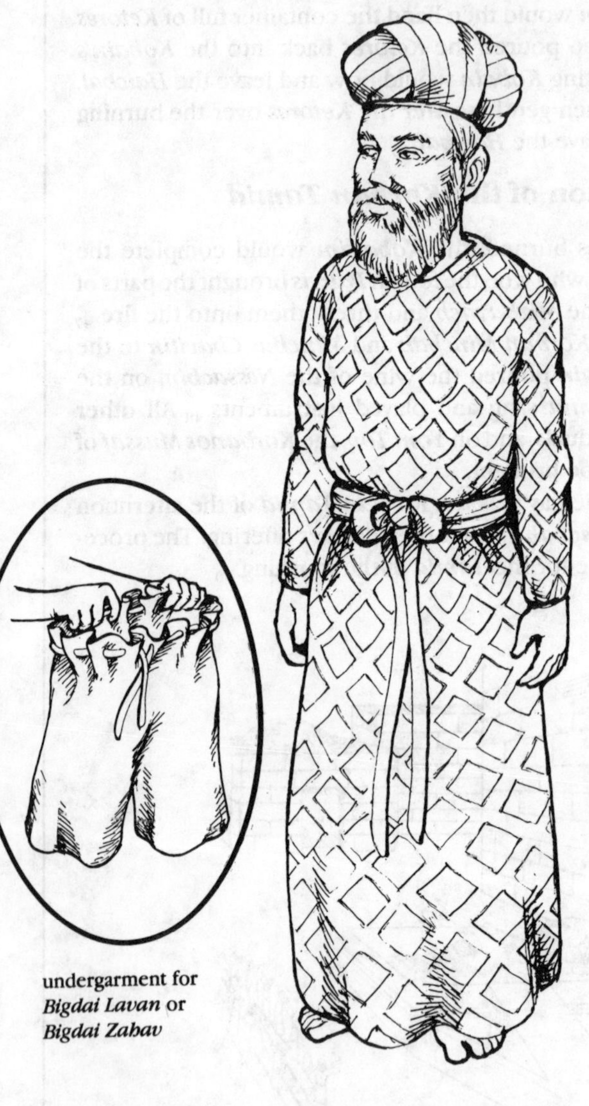

undergarment for *Bigdai Lavan* or *Bigdai Zahav*

Kohain Gadol wearing *Bigdai Lavan*

Kohain Gadol wearing *Bigdai Zahav*

THE *AVODAH* OF *YOM KIPPUR*

Unlike any other *Avodah* performed throughout the year, part of the *Avodah* of *Yom Kippur* was performed in the *Kodesh Hakodoshim*. Rashi (*Passuk* 4) designates the *Avodah* related to the *Kodesh Hakododshim* as *Avodas P'nim* (inner *Avodah*) and the rest as *Avodas Chutz* (outer *Avodah*).

Garments, *Tevillah* and *Kiddush* on *Yom Kippur*

During the *Avodas Chutz*, the *Kohain Gadol* wore the eight garments he wore during the *Avodah* throughout the year. These were known as the *Bigdai Zahav*, the golden garments, because they were made partly of gold thread.[51] During the *Avodas P'nim* on *Yom Kippur*, he wore four white linen garments known as the *Bigdai Lavan*, the white garments, instead.[52] Thus, the *Kohain Gadol* wore the garments in the following sequence: 1) gold 2) linen 3) gold 4) linen 5) gold.

The *Kohain Gadol* washed his hands and feet (*Kiddush*) before each time he removed one set of garments and after he donned another set. Thus, he washed his hands and feet ten times during the day. On *Yom Kippur*, the *Kohain Gadol* washed from a special golden vessel called a *Kiton*.[53] He also immersed himself in a *Mikveh* during each change of garments, for a total of five *Tevillos*.[54]

Thus, the order of the *Avodah*, the garments, *Tevillos* and *Kiddushim* is as follows:

Tevillah	Garments Worn	*Kiddush*	*Avodah*	*Kiddush*
First	Gold	First	Chutz	Second
Second	Linen	Third	P'nim	Fourth
Third	Gold	Fifth	Chutz	Sixth
Fourth	Linen	Seventh	P'nim	Eighth
Fifth	Gold	Ninth	Chutz	Tenth

Required Preparation of the *Kohain Gadol*

The *Kohain Gadol* was required to live in the *Bais Hamikdash* for a week before *Yom Kippur*.[55] He spent much of this time in preparation and practice. This included performing the usual daily *Avodah*, such as *Shechitah* and *Zerikah*, as well as studying the procedures of *Yom Kippur*.[56]

During this time, precautionary measures were taken to assure his remaining *tahor*. He was sprinkled with the purifying ashes of the *Parah Adumah*. [57] On *Yom Kippur* evening, he was kept awake the entire night. This, too, was done to minimize the chances of his unintentionally becoming *tamay*. [58]

As mentioned above, on *Yom Kippur*, the *Kohain Gadol* alone performed all the essential activities of the *Avodah*. [59] In order to ease the rigor of his schedule, the *Trumas Hadeshen* which was usually performed at the start of the day, was performed at midnight, permitting the full order of the *Avodah* to begin earlier in the morning. [60]

Section I

The *Avodah* As Described in *Parshas Achray Mos*

פרק ט״ז

פסוקים ד—כ״ג

Order of *Yom Kippur* Day

In the early morning, the *Kohain Gadol* went to the *Shaar Hamayim* where he immersed himself in the *Mikveh* and then put on the eight garments. He washed his hands and feet and proceeded to do the daily *Avodah*. This included the *Shechitah, Kabalah, Holachah* and *Zerikah* of the *Korban Tamid*, bringing of *Ketores*, burning the *Tamid* on the *Mizbayach*, bringing the *Minchas Nessachim* and *Minchas Chavitin* and pouring the *Nessachim*.

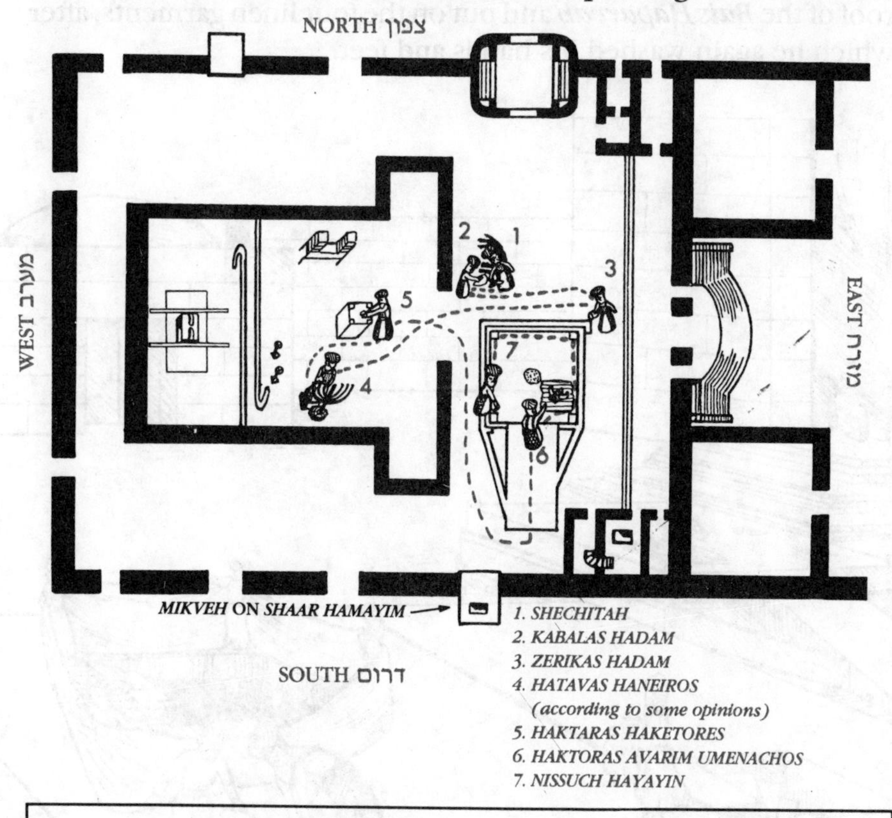

1. SHECHITAH
2. KABALAS HADAM
3. ZERIKAS HADAM
4. HATAVAS HANEIROS (according to some opinions)
5. HAKTARAS HAKETORES
6. HAKTORAS AVARIM UMENACHOS
7. NISSUCH HAYAYIN

There is a *Mitzvah* to collect a maximum of the animal's blood. In order to do this the neck must be cut further than the minimum required for a valid *Shechitah*.[61]

The Torah requires the *Kohain Gadol* to do the *Avodah* personally. This applies only to the *Avodas Yom Kippur* and not to the *Temidim* or *Mussafim* on *Yom Kippur*. The *Chachamim*, however, extended the requirement to the *Temidim* and *Mussafim* as well. Nevertheless, they allowed the non-essential cutting after the minimum *Shechitah* to be done by another *Kohain*. This made it easier for the *Kohain Gadol* to receive the blood.[62]

וְרָחַץ בַּמַּיִם אֶת בְּשָׂרוֹ וּלְבֵשָׁם

(ויקרא פרק ט"ז פסוק ד')

Second *Tevillah*

The *Kohain Gadol* washed his hands and feet. He removed the eight garments, immersed himself in the *Mikveh* located on the roof of the *Bais Haparvah* and put on the four linen garments, after which he again washed his hands and feet.

(ד) וְרָחַץ בַּמַּיִם אֶת בְּשָׂרוֹ — And he shall wash his body in water. After the first introductory *Pessukim*, the Torah describes the order of the day, beginning with the second immersion. Washing in this *Passuk* means immersion in a *Mikveh*. [63] From *Passuk* כד we derive that he was also required to wash his hands and feet. [64] When Rashi writes "from the *Kiyor*," he only means that water from the *Kiyor* was used. The actual washing was done with a pitcher called a *Kiton* which was filled with water from the *Kiyor*. The Rambam says that each immersion (except the first) and each washing had to be done in the *Azarah*, but he does not specify any particular place. [65]

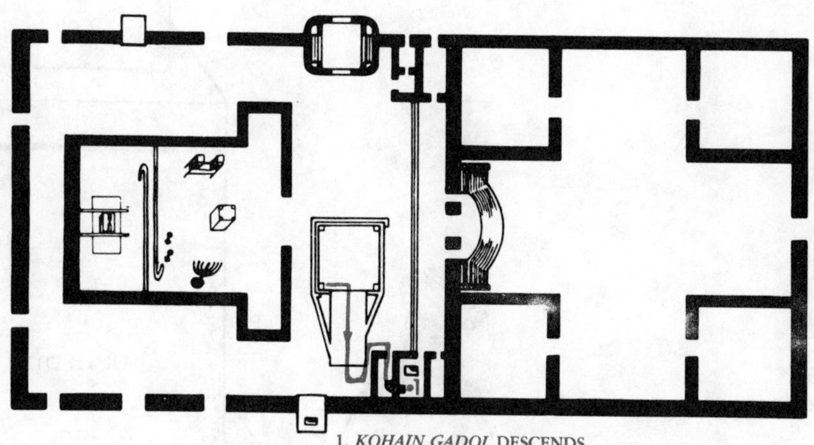

1. *KOHAIN GADOL* DESCENDS FROM *MIZBAYACH* AND ASCENDS TO *MIKVEH* ON *BAIS HAPARVAH*.
LINE INDICATES PATH OF *KOHAIN GADOL*.

GOLD	LINEN	GOLD	LINEN	GOLD
TEVILLAH 1	TEVILLAH 2	TEVILLAH 3	TEVILLAH 4	TEVILLAH 5
KIDDUSH 1	KIDDUSH 3	KIDDUSH 5	KIDDUSH 7	KIDDUSH 9
AVODAS CHUTZ	AVODAS P'NIM	AVODAS CHUTZ	AVODAS P'NIM	AVODAS CHUTZ
KIDDUSH 2	KIDDUSH 4	KIDDUSH 6	KIDDUSH 8	KIDDUSH 10

וְהִקְרִיב אַהֲרֹן אֶת פַּר הַחַטָּאת אֲשֶׁר לוֹ וְכִפֶּר בַּעֲדוֹ וּבְעַד בֵּיתוֹ

(ויקרא פרק ט"ז פסוק ו')

First *Viduy*

He walked to a bull which stood between the *Ulam* and the *Mizbayach*. This bull, which was his personal property, was a *Korban Chattas*. It would later be burned outside the *Bais Hamikdash*. He placed both hands on its head and leaned on it while confessing his sins and the sins of his household.

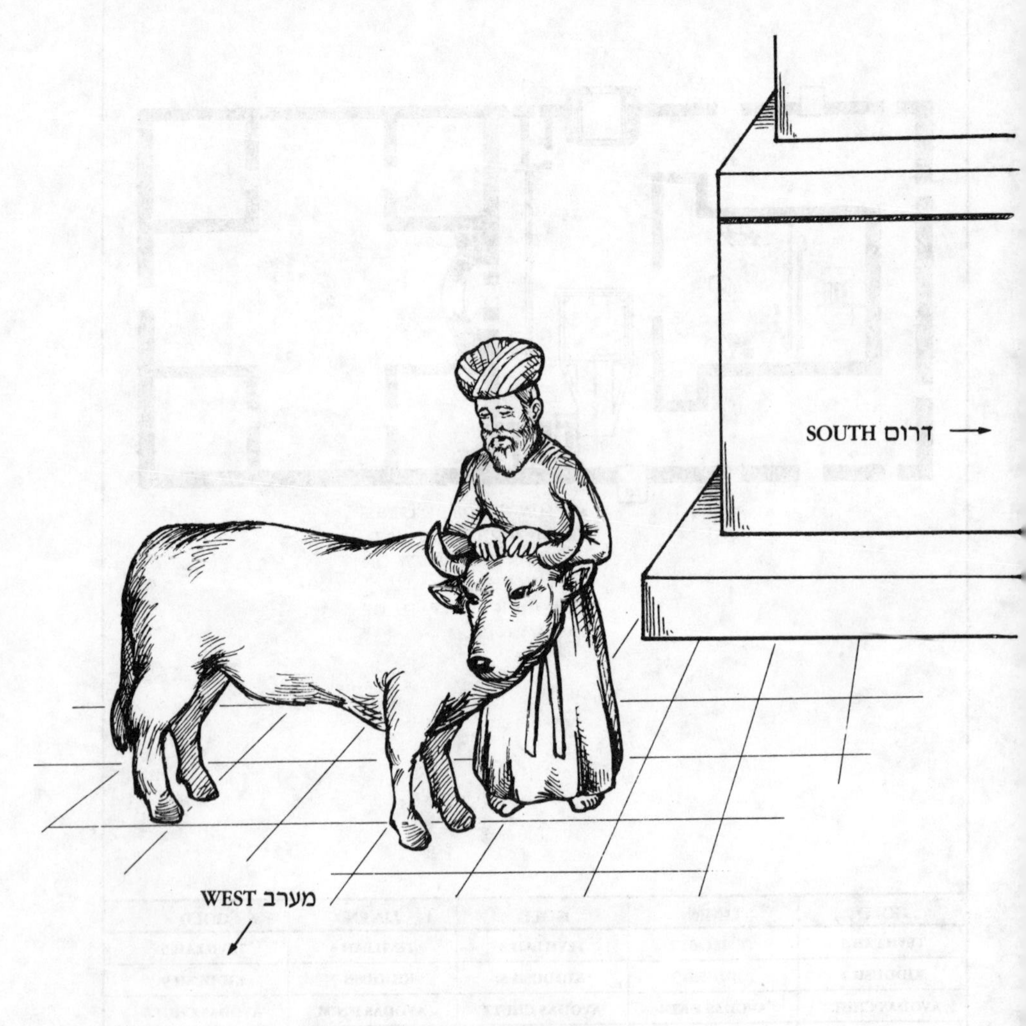

(ו) וְהִקְרִיב אַהֲרֹן אֶת פַּר הַחַטָּאת — And Aharon shall bring the *Chattas* bull close. From the *Mishnah* it is evident that the *Kohain Gadol* went to the bull which was already stationed between the *Ulam* and the *Mizbayach*. When the Torah states that Aharon should bring the bull close, it may be interpreted that Aharon should see to it that the bull is brought between the *Ulam* and the *Mizbayach*, or it may refer to a spiritual closeness which the *Korban* attains.[66]

אֲשֶׁר לוֹ — which is his. The bull was the personal property of the *Kohain Gadol*. His own animal was to atone for his transgressions and those of his fellow *Kohanim*. The goat mentioned below as being brought with this bull belonged to the public and atoned for the transgressions of the public.

וְכִפֶּר בַּעֲדוֹ וּבְעַד בֵּיתוֹ — And he shall atone for himself and for his household. וכפר means he shall achieve atonement by saying *Viduy* (confession). This first *Viduy* was to atone for the *Kohain Gadol* and his wife. His children were included in the second *Viduy* in *Passuk* יא.[67]

The purpose of this *Korban* was to atone for the intentional or unintentional sin of entering the *Bais Hamikdash* or eating *Kodashim* when *tamay*, called *Tumas Mikdash Vekadashav*. (See Rashi on *Pessukim* יא and טז and Appendix.)

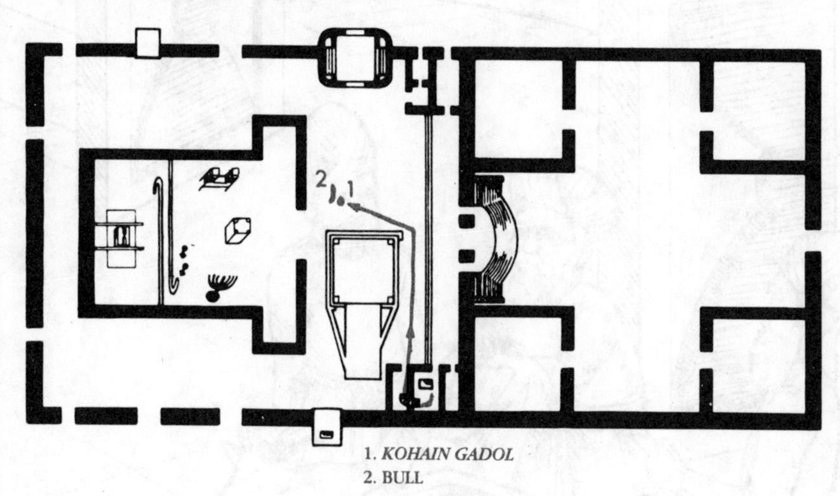

1. *KOHAIN GADOL*
2. BULL

GOLD	LINEN	GOLD	LINEN	GOLD
TEVILLAH 1	TEVILLAH 2	TEVILLAH 3	TEVILLAH 4	TEVILLAH 5
KIDDUSH 1	KIDDUSH 3	KIDDUSH 5	KIDDUSH 7	KIDDUSH 9
AVODAS CHUTZ	AVODAS P'NIM	AVODAS CHUTZ	AVODAS P'NIM	AVODAS CHUTZ
KIDDUSH 2	KIDDUSH 4	KIDDUSH 6	KIDDUSH 8	KIDDUSH 10

וְלָקַח אֶת שְׁנֵי הַשְּׂעִירִם . . . וְנָתַן אַהֲרֹן עַל שְׁנֵי הַשְּׂעִירִם גֹּרָלוֹת . . . וַעֲשָׂהוּ חַטָּאת

(ויקרא פרק ט"ז פסוקים ז' — ט')

Lottery of Goats

He went to the eastern gates, called the Gates of Niknor, where two identical goats stood near a box with two lots. On one lot was written "*L'Hashem*" and on the other "*L'Azazel.*" He stood between the goats and drew the lots simultaneously with both hands. He placed the lots on the respective goats. When placing the lot on which "*L'Hashem*" was written, he proclaimed the goat a "*Chattas* for Hashem." He tied a red band around the horns of the goat designated to be sent to Mount Azazel and turned it to face the eastern gate.

(ז) וְלָקַח אֶת שְׁנֵי הַשְּׂעִירִם — And he shall take the two he-goats. From the *Mishnah* it is evident that the *Kohain Gadol* went to the goats, which were already stationed in their proper place. "And he shall take" does not refer to Aharon but to the one who is supposed to take the goats and station them at the eastern gate. 68

וְהֶעֱמִיד אֹתָם לִפְנֵי ה׳ פֶּתַח אֹהֶל מוֹעֵד — And he shall stand them before Hashem at the entrance of the *Ohel Moaid*. The *Haichal* in the *Bais Hamikdash* corresponded to the *Ohel Moaid* in the *Mishkan*. The *Azarah* was considered "the entrance to the *Ohel Moaid*" and "before Hashem." 69 The *Avodah* of a *Chattas* was performed on the north side of the *Mizbayach*. When the goats were positioned at the gate they had to stand north of the *Mizbayach*. 70

The *Mishnah* relates that during the lottery the *Kohain Gadol* was accompanied by two high ranking *Kohanim*. One stood to his right and the other to his left. 71 This practice is not required by the Torah. According to the *Tiferes Yisrael*, it was instituted in honor of the *Kohain Gadol*. Many spectators stood in the eastern end of the *Azarah*, and it was fitting that the *Kohain Gadol* be properly escorted when he came among a crowd. 72

(ט) וְהִקְרִיב אַהֲרֹן אֶת הַשָּׂעִיר — And Aharon shall bring the goat near. From the *Mishnah* it is evident that the goat was not moved at all from where it was stationed before the lottery. "Bringing near" means bringing it near to Hashem by designating it as a *Chattas* for Hashem. 73

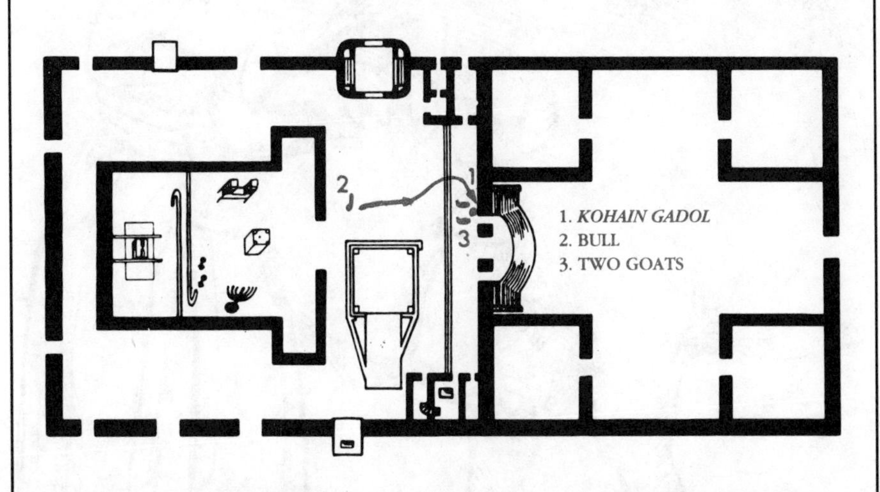

GOLD	LINEN	GOLD	LINEN	GOLD
TEVILLAH 1	TEVILLAH 2	TEVILLAH 3	TEVILLAH 4	TEVILLAH 5
KIDDUSH 1	KIDDUSH 3	KIDDUSH 5	KIDDUSH 7	KIDDUSH 9
AVODAS CHUTZ	AVODAS P'NIM	AVODAS CHUTZ	AVODAS P'NIM	AVODAS CHUTZ
KIDDUSH 2	KIDDUSH 4	KIDDUSH 6	KIDDUSH 8	KIDDUSH 10

וְהִקְרִיב אַהֲרֹן אֶת פַּר הַחַטָּאת אֲשֶׁר לוֹ וְכִפֶּר בַּעֲדוֹ וּבְעַד בֵּיתוֹ

(ויקרא פרק ט״ז פסוק י״א)

Second *Viduy*

After the lottery, he returned to his bull. He leaned on it again and made a confession on behalf of all the *Kohanim*.

וְהִקְרִיב אַהֲרֹן אֶת פַּר הַחַטָּאת (יא) — And Aharon shall bring near the *Chattas* bull. See *Pessukim* ו and ט for various interpretations of the phrase "bring near."

וְכִפֶּר בַּעֲדוֹ וּבְעַד בֵּיתוֹ — and he shall atone for himself and for his household. The purpose of this confession was to atone for any *Kohain* that entered the *Mikdash* or ate *Kodashim* when *tamay*.[74] Rashi explains that the meaning of ביתו in this *Passuk* is different from that in *Passuk* ו.

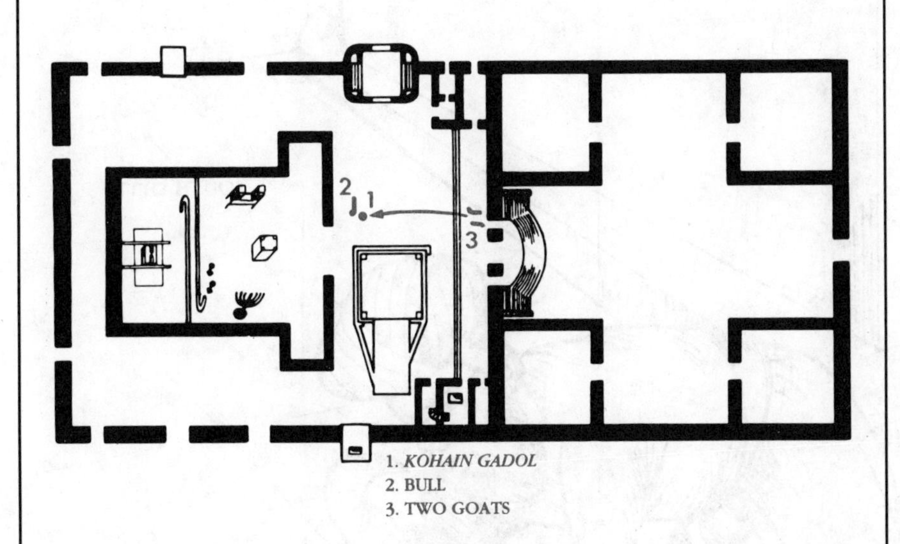

1. *KOHAIN GADOL*
2. BULL
3. TWO GOATS

GOLD	LINEN	GOLD	LINEN	GOLD
TEVILLAH 1	TEVILLAH 2	TEVILLAH 3	TEVILLAH 4	TEVILLAH 5
KIDDUSH 1	KIDDUSH 3	KIDDUSH 5	KIDDUSH 7	KIDDUSH 9
AVODAS CHUTZ	AVODAS P'NIM	AVODAS CHUTZ	AVODAS P'NIM	AVODAS CHUTZ
KIDDUSH 2	KIDDUSH 4	KIDDUSH 6	KIDDUSH 8	KIDDUSH 10

וְשָׁחַט אֶת פַּר הַחַטָּאת אֲשֶׁר לוֹ

(ויקרא פרק ט״ז פסוק י״א)

Slaughtering of the Bull

He slaughtered the bull and quickly received the blood in a bowl. He handed the bowl of blood to another *Kohain* to stir so that it would not congeal before the time to sprinkle it.

(ויא) וְשָׁחַט אֶת פַּר הַחַטָּאת אֲשֶׁר לוֹ — And he shall slaughter the bull which is his. As explained above, the *Kohain Gadol* performed the entire *Shechitah* on all *Korbanos* of the *Yom Kippur Avodah.*[75] He performed both the *Shechitah* and *Kabalah* with his right hand. To accomplish this he let the knife drop from his hand right after the *Shechitah* in order to make the *Kabalah* immediately.[76]

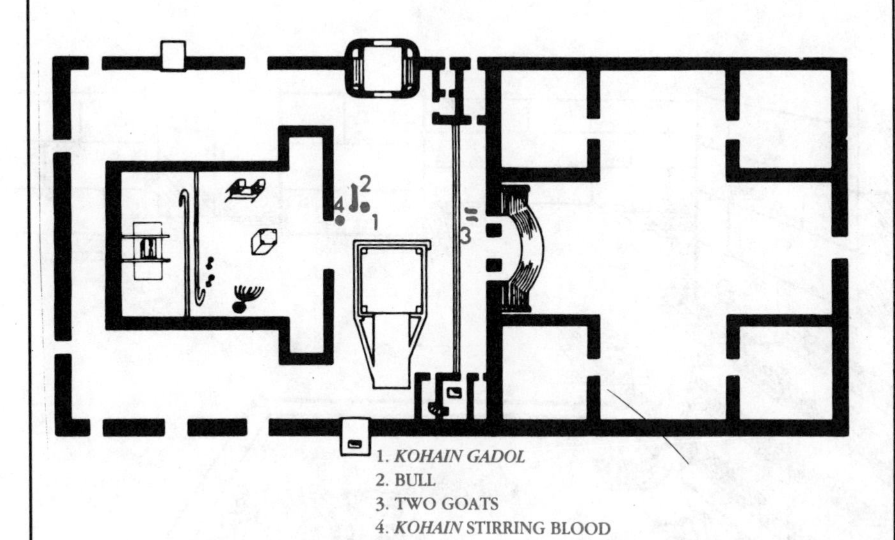

1. *KOHAIN GADOL*
2. BULL
3. TWO GOATS
4. *KOHAIN* STIRRING BLOOD

GOLD	LINEN	GOLD	LINEN	GOLD
TEVILLAH 1	TEVILLAH 2	TEVILLAH 3	TEVILLAH 4	TEVILLAH 5
KIDDUSH 1	KIDDUSH 3	KIDDUSH 5	KIDDUSH 7	KIDDUSH 9
AVODAS CHUTZ	AVODAS P'NIM	AVODAS CHUTZ	AVODAS P'NIM	AVODAS CHUTZ
KIDDUSH 2	KIDDUSH 4	KIDDUSH 6	KIDDUSH 8	KIDDUSH 10

וְלָקַח מְלֹא הַמַּחְתָּה גַּחֲלֵי אֵשׁ מֵעַל הַמִּזְבֵּחַ

(ויקרא פרק ט"ז פסוק י"ב)

Getting The Embers

The procedure of bringing the additional *Ketores* of *Yom Kippur* was next. The *Kohain Gadol* ascended the *Mizbayach* and filled a golden shovel with embers. He brought the shovel to a point near the entrance of the *Ulam* and placed it on the floor.

(יב) וְלָקַח מְלֹא הַמַּחְתָּה גַּחֲלֵי אֵשׁ — And he shall take a shovel full of burning embers. The embers were taken from a *Maarachah* that was arranged on the *Mizbayach* on *Yom Kippur* specifically for this purpose.[77] The shovel had a long handle which he placed under his arm for support.[78]

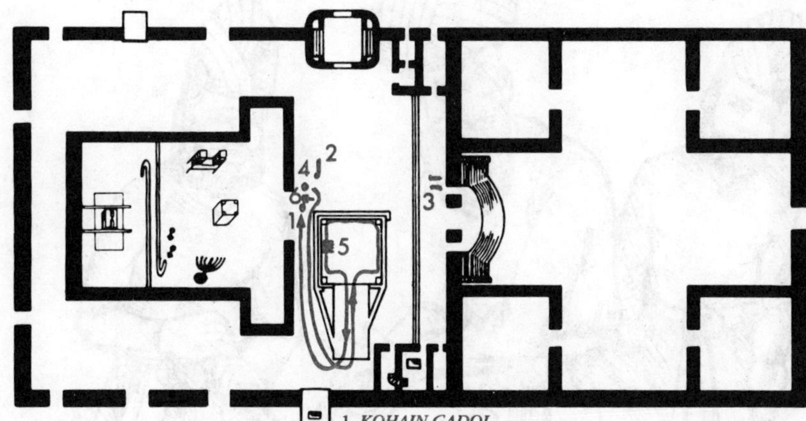

1. *KOHAIN GADOL*
2. SLAUGHTERED BULL
3. TWO GOATS
4. *KOHAIN* STIRRING BLOOD
5. PLACE FOR GATHERING EMBERS
6. SHOVEL PLACED ON GROUND

GOLD	LINEN	GOLD	LINEN	GOLD
TEVILLAH 1	TEVILLAH 2	TEVILLAH 3	TEVILLAH 4	TEVILLAH 5
KIDDUSH 1	KIDDUSH 3	KIDDUSH 5	KIDDUSH 7	KIDDUSH 9
AVODAS CHUTZ	AVODAS P'NIM	AVODAS CHUTZ	AVODAS P'NIM	AVODAS CHUTZ
KIDDUSH 2	KIDDUSH 4	KIDDUSH 6	KIDDUSH 8	KIDDUSH 10

וּמְלֹא חָפְנָיו קְטֹרֶת סַמִּים דַּקָּה

(ויקרא פרק ט"ז פסוק י"ב)

Getting the *Ketores*

As he stood before the *Ulam*, a *Kohain* brought him a large empty vessel with a long handle, called a *Kaf*. Another *Kohain* brought him a shovel filled with fine incense. The *Kohain Gadol* filled both hands with incense which he placed into the *Kaf*.

וּמְלֹא חָפְנָיו קְטֹרֶת (יב) — His hands full of *Ketores*. The amount of *Ketores* required was the amount that would fill the hands of the particular *Kohain Gadol* who performed the *Avodah*.[79] This included the area of the palms and fingers when they were cupped together.[80] According to some opinions, the *Kaf* into which the *Ketores* was placed was selected to match the size of the individual *Kohain Gadol's* handfull. *Tosfos* contend that the *Kaf* must be larger, for if not, some *Ketores* would inevitably be lost when he later pours it from his hands back into the *Kaf*.[81]

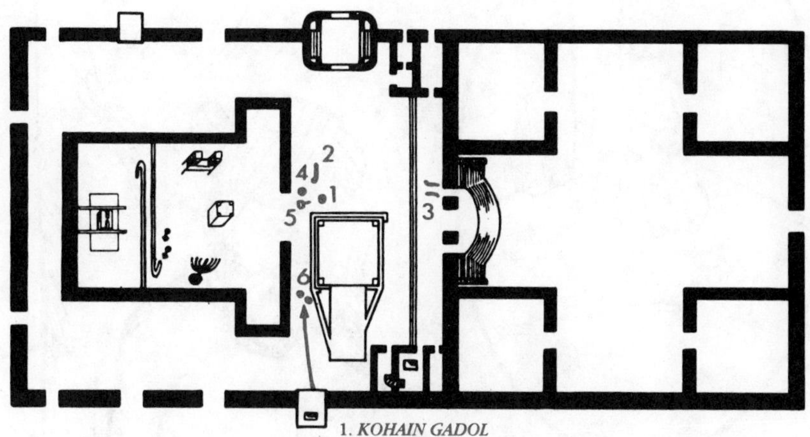

1. *KOHAIN GADOL*
2. SLAUGHTERED BULL
3. TWO GOATS
4. *KOHAIN* STIRRING BLOOD
5. SHOVEL PLACED ON GROUND
6. *KOHANIM* BRINGING INCENSE

GOLD	LINEN	GOLD	LINEN	GOLD
TEVILLAH 1	TEVILLAH 2	TEVILLAH 3	TEVILLAH 4	TEVILLAH 5
KIDDUSH 1	KIDDUSH 3	KIDDUSH 5	KIDDUSH 7	KIDDUSH 9
AVODAS CHUTZ	AVODAS P'NIM	AVODAS CHUTZ	AVODAS P'NIM	AVODAS CHUTZ
KIDDUSH 2	KIDDUSH 4	KIDDUSH 6	KIDDUSH 8	KIDDUSH 10

וְהֵבִיא מִבֵּית לַפָּרֹכֶת

(ויקרא פרק ט״ז פסוק י״ב)

Bringing the *Ketores* to the *Kodesh Hakodoshim*

With the shovel of embers in his right hand and the *Kaf* of incense in his left, the *Kohain Gadol* went into the *Kodesh Hakodoshim*.

(יב) וְהֵבִיא מִבֵּית לַפָּרֹכֶת — And he shall bring it within the curtain. In the *Mishkan*, the *Paroches* was a single curtain. In the second *Bais Hamikdash* it was two parallel curtains, as described earlier. As the *Kohain Gadol* walked between the curtains, he pushed the curtain aside with his elbow in order to protect the curtain from being burned by the embers.[82]

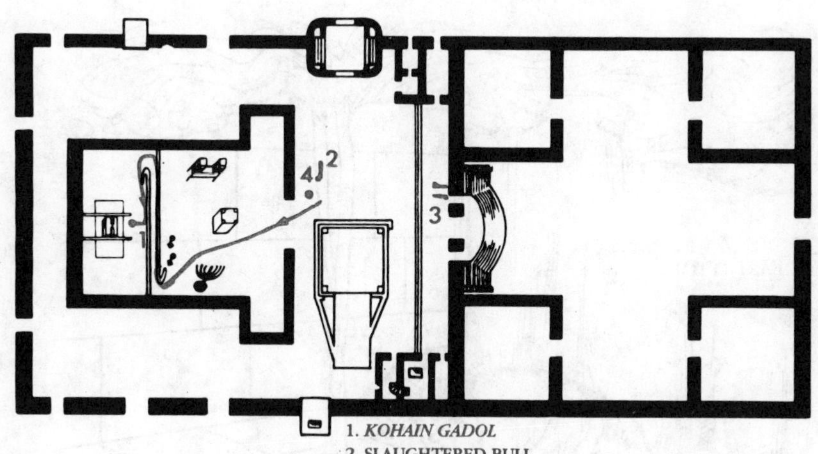

1. *KOHAIN GADOL*
2. SLAUGHTERED BULL
3. TWO GOATS
4. *KOHAIN* STIRRING BLOOD

GOLD	LINEN	GOLD	LINEN	GOLD
TEVILLAH 1	TEVILLAH 2	TEVILLAH 3	TEVILLAH 4	TEVILLAH 5
KIDDUSH 1	KIDDUSH 3	KIDDUSH 5	KIDDUSH 7	KIDDUSH 9
AVODAS CHUTZ	AVODAS P'NIM	AVODAS CHUTZ	AVODAS P'NIM	AVODAS CHUTZ
KIDDUSH 2	KIDDUSH 4	KIDDUSH 6	KIDDUSH 8	KIDDUSH 10

וְנָתַן אֶת הַקְּטֹרֶת עַל הָאֵשׁ . . . וְכִסָּה עֲנַן הַקְּטֹרֶת אֶת הַכַּפֹּרֶת

(ויקרא פרק ט״ז פסוק י״ג)

Burning of the *Ketores*

He put the shovel of embers down directly in front of the *Aron* between its poles. (In the second *Bais Hamikdash*, although there was no *Aron*, he put the embers in the place where the *Aron* would have been.) He filled his hands with the *Ketores* (see Appendix) and heaped it onto the hot embers. He remained there until the chamber was filled with fragrant smoke.

וְנָתַן אֶת הַקְּטֹרֶת עַל הָאֵשׁ (יג) — And he shall put the incense on the fire. This *Ketores* was brought on behalf of all *Klal Yisrael* (including *Kohanim*) to atone for the sin of speaking *Lashon Hora*.[83]

וְכִסָּה עֲנַן הַקְּטֹרֶת אֶת הַכַּפֹּרֶת — And the cloud of incense will cover the *Kapores*. The *Ketores* mixture included a plant called *Maaleh Ashan*. This plant caused the smoke to rise straight up. Only after the smoke spread across the ceiling of the *Kodesh Hakodoshim* and down its walls, filling the whole room with smoke, was the *Kohain Gadol* allowed to leave.[84] After leaving the *Kodesh Hakodoshim*, he said a short prayer for the welfare of the people.[85]

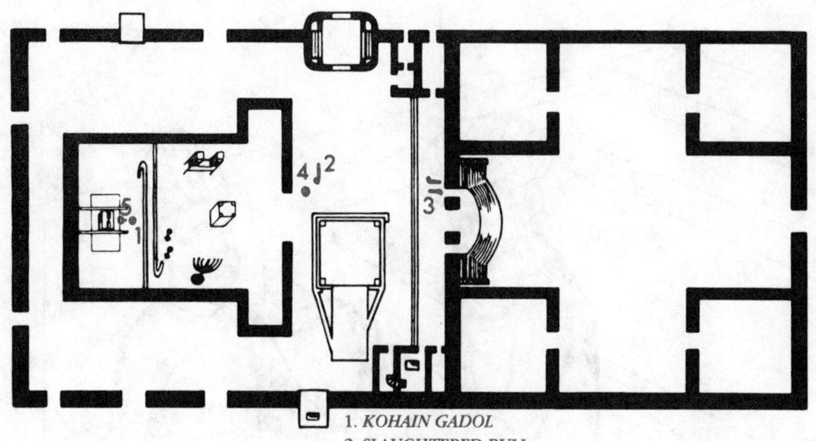

1. *KOHAIN GADOL*
2. SLAUGHTERED BULL
3. TWO GOATS
4. *KOHAIN* STIRRING BLOOD
5. SHOVEL WITH INCENSE

GOLD	LINEN	GOLD	LINEN	GOLD
TEVILLAH 1	TEVILLAH 2	TEVILLAH 3	TEVILLAH 4	TEVILLAH 5
KIDDUSH 1	KIDDUSH 3	KIDDUSH 5	KIDDUSH 7	KIDDUSH 9
AVODAS CHUTZ	AVODAS P'NIM	AVODAS CHUTZ	AVODAS P'NIM	AVODAS CHUTZ
KIDDUSH 2	KIDDUSH 4	KIDDUSH 6	KIDDUSH 8	KIDDUSH 10

וְלָקַח מִדַּם הַפָּר

(ויקרא פרק ט״ז פסוק י״ד)

Taking the Bull's Blood

He then left the *Haichal* and took the blood of the bull from the *Kohain* who was stirring it.

(יד) וְלָקַח מִדַּם הַפָּר — And he shall take of the bull's blood. According to the *Toras Kohanim*, this refers to the *Kohain Gadol's* taking the blood from the one who stirred it.[86] Since the *Kohain Gadol* took the vessel with all the blood it held, מדם הפר, which means of the bull's blood, must refer to the fact that not all the blood of the bull could have drained into the *Mizrak*.[87]

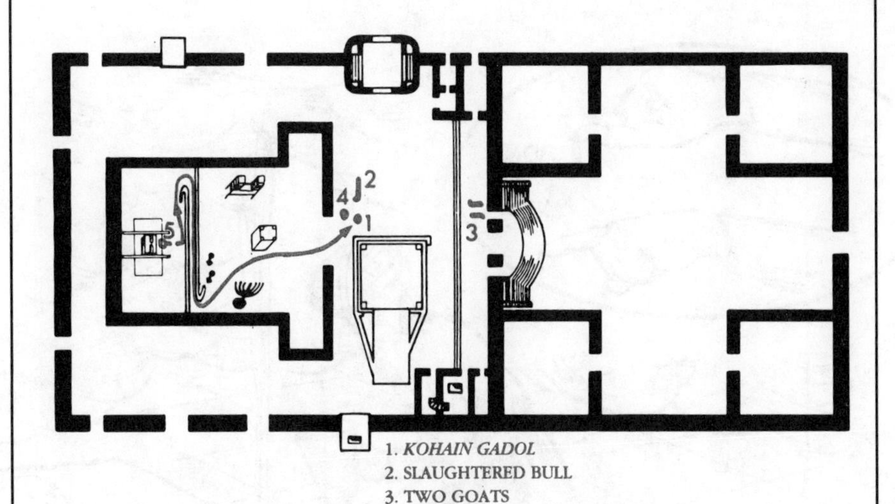

1. *KOHAIN GADOL*
2. SLAUGHTERED BULL
3. TWO GOATS
4. *KOHAIN* STIRRING BLOOD
5. SHOVEL WITH INCENSE

GOLD	LINEN	GOLD	LINEN	GOLD
TEVILLAH 1	TEVILLAH 2	TEVILLAH 3	TEVILLAH 4	TEVILLAH 5
KIDDUSH 1	KIDDUSH 3	KIDDUSH 5	KIDDUSH 7	KIDDUSH 9
AVODAS CHUTZ	AVODAS P'NIM	AVODAS CHUTZ	AVODAS P'NIM	AVODAS CHUTZ
KIDDUSH 2	KIDDUSH 4	KIDDUSH 6	KIDDUSH 8	KIDDUSH 10

וְהִזָּה בְאֶצְבָּעוֹ עַל פְּנֵי הַכַּפֹּרֶת קֵדְמָה וְלִפְנֵי הַכַּפֹּרֶת יַזֶּה שֶׁבַע פְּעָמִים

(ויקרא פרק ט״ז פסוק י״ד)

First Sprinkling of the Bull's Blood

The *Kohain Gadol* entered the *Kodesh Hakodoshim* again and stood before the *Aron*. He sprinkled the blood with his finger towards (but not onto) the *Aron* eight times. (In the second *Bais Hamikdash*, although there was no *Aron*, he sprinkled in the same way.)

(יד) עַל פְּנֵי הַכַּפֹּרֶת קֵדְמָה — At the top (edge) of the cover's eastern surface. The first sprinkling was done with the inside of the *Kohain Gadol's* hand facing upward. על פני הכפרת means that when sprinkling the blood his finger had to be at the height of the upper edge of the *Kapores*. 88 The blood did not touch the *Kapores*, but rather, it fell on the ground.

וְלִפְנֵי הַכַּפֹּרֶת יַזֶּה שֶׁבַע פְּעָמִים — And toward the face of the *Kapores* he shall sprinkle seven times. For the remaining seven sprinklings the inside of the *Kohain Gadol's* hand faced down. The term "seven times" rather than seven sprinklings implies that they were to be counted. The *Gemara* states that the first sprinkling was also to be counted independently of the last seven. Thus, when he first sprinkled, he counted "one." For the second sprinkling, he counted "one and one," for the third "one and two," and so on. 89

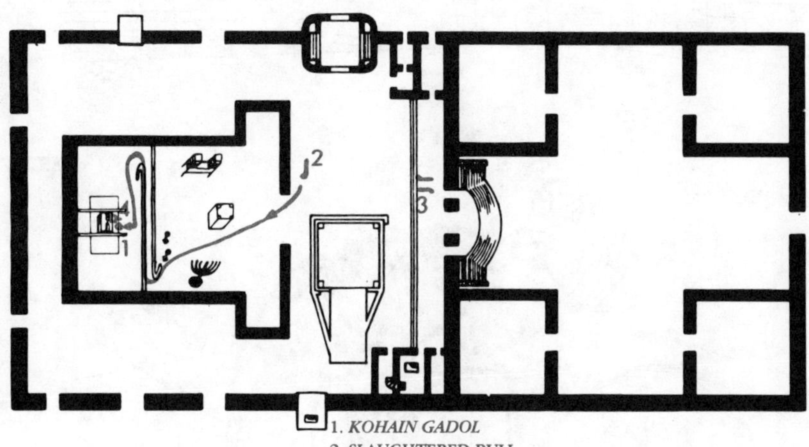

1. *KOHAIN GADOL*
2. SLAUGHTERED BULL
3. TWO GOATS
4. SHOVEL WITH INCENSE

GOLD	LINEN	GOLD	LINEN	GOLD
TEVILLAH 1	TEVILLAH 2	TEVILLAH 3	TEVILLAH 4	TEVILLAH 5
KIDDUSH 1	KIDDUSH 3	KIDDUSH 5	KIDDUSH 7	KIDDUSH 9
AVODAS CHUTZ	AVODAS P'NIM	AVODAS CHUTZ	AVODAS P'NIM	AVODAS CHUTZ
KIDDUSH 2	KIDDUSH 4	KIDDUSH 6	KIDDUSH 8	KIDDUSH 10

וְשָׁחַט אֶת שְׂעִיר הַחַטָּאת אֲשֶׁר לָעָם

(ויקרא פרק ט״ז פסוק ט״ו)

Slaughtering of the Goat

He left the *Kodesh Hakodoshim* and put the bowl containing the bull's blood on a stand in front of the *Paroches*. He then went to the front of the *Ulam*, where the *Kohanim* now brought the goat for Hashem. He slaughtered it and quickly received its blood. This goat was also a *Chattas* and would later be burned outside the *Bais Hamikdash* together with the bull.

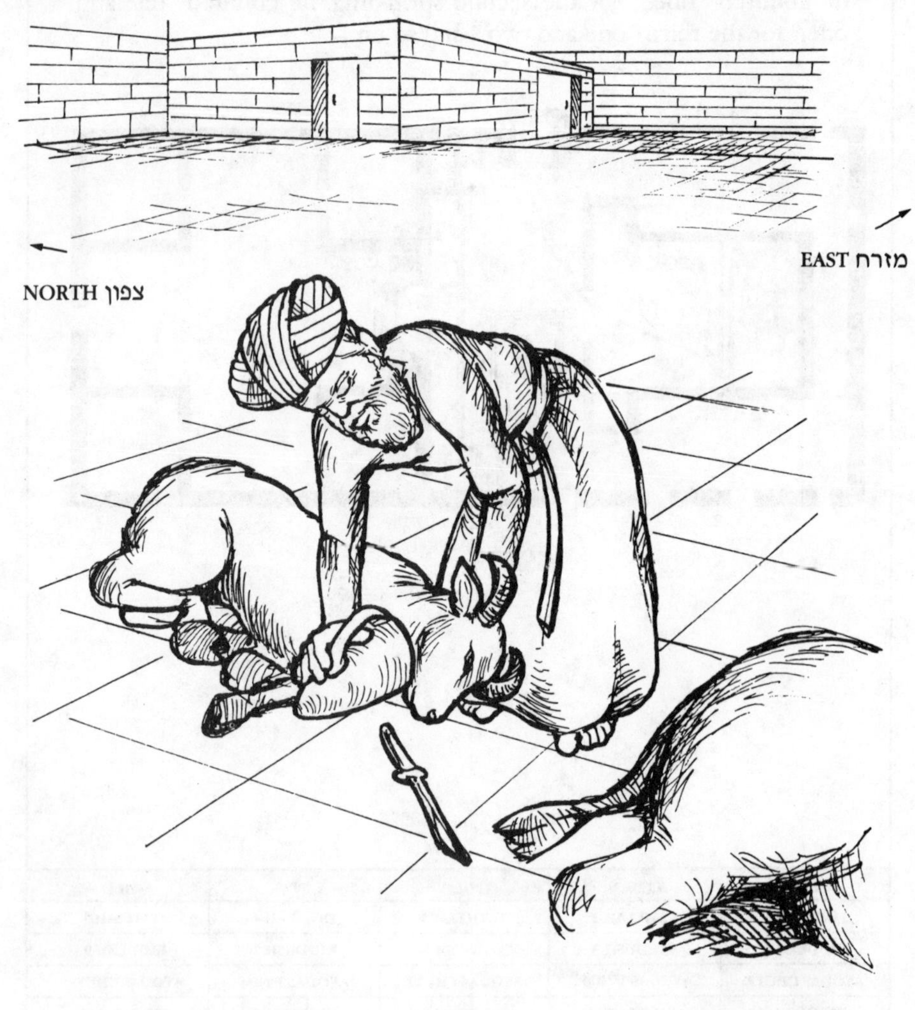

אֶת שְׂעִיר הַחַטָּאת (טו) — The goat which is a *Chattas*. The purpose of this *Korban* was to atone for people other than *Kohanim* who had gone into the *Bais Hamikdash* or had eaten *Kodashim* when *tamay* (even intentionally). Some commentators explain that the bull, which was the larger of the two animals, was used to atone for the *Kohanim* since this particular sin was more prevalent among those who frequent the *Bais Hamikdash*. The smaller goat was used for the people, who would come to the *Bais Hamikdash* only occasionally.[90]

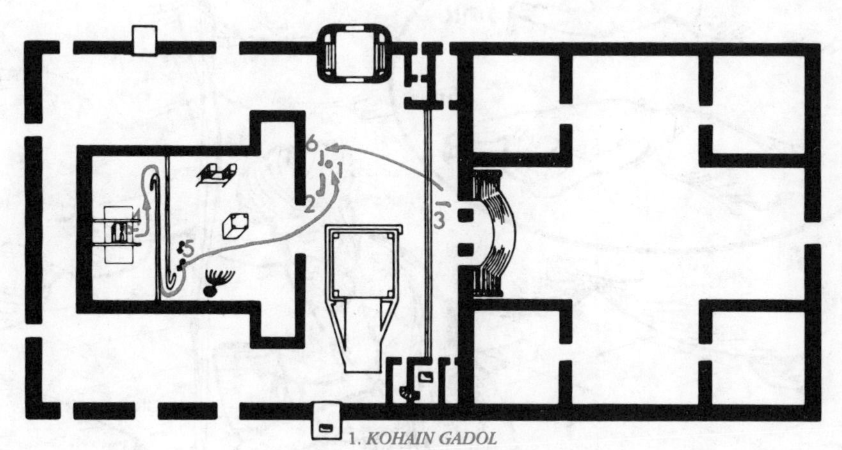

1. *KOHAIN GADOL*
2. SLAUGHTERED BULL
3. GOAT FOR AZAZEL
4. SHOVEL WITH INCENSE
5. BULL'S BLOOD ON STAND
6. GOAT FOR HASHEM

GOLD	LINEN	GOLD	LINEN	GOLD
TEVILLAH 1	TEVILLAH 2	TEVILLAH 3	TEVILLAH 4	TEVILLAH 5
KIDDUSH 1	KIDDUSH 3	KIDDUSH 5	KIDDUSH 7	KIDDUSH 9
AVODAS CHUTZ	AVODAS P'NIM	AVODAS CHUTZ	AVODAS P'NIM	AVODAS CHUTZ
KIDDUSH 2	KIDDUSH 4	KIDDUSH 6	KIDDUSH 8	KIDDUSH 10

וְהֵבִיא אֶת דָּמוֹ אֶל מִבֵּית לַפָּרֹכֶת וְעָשָׂה אֶת דָּמוֹ כַּאֲשֶׁר עָשָׂה לְדַם הַפָּר

(ויקרא פרק ט״ז פסוק ט״ו)

First Sprinkling of the Goat's Blood

The *Kohain Gadol* then returned to the *Kodesh Hakodoshim*. He sprinkled the blood of the goat in the same manner as he did the bull's blood.

וְכִפֶּר עַל הַקֹּדֶשׁ מִטֻּמְאֹת בְּנֵי יִשְׂרָאֵל (טז) — And he will atone on the *Kodesh (Hakodoshim)* from the *tuma* of Bnai Yisrael. This is not a commandment; rather it is an explanation of the purpose of sprinkling blood within the *Kodesh Hakodoshim*. The atonement effected by this *Avodah* is for entering the *Kodesh Hakodoshim* while *tamay* or causing objects in the *Kodesh Hakodoshim* to become *tamay*. (This might include the craftsmen who did repairs in the *Kodesh Hakodoshim*.)[91]

וּמִפִּשְׁעֵיהֶם — And from their deliberate sins. This refers to those sins committed even knowingly regarding the *Kodesh Hakodoshim*.

לְכָל חַטֹּאתָם — For all their (unintentional) sins. The word "all" is intended to include the case of someone who committed these sins unknowingly and had not discovered his error. Such a person was protected from punishment until he realized he had sinned and gained complete atonement through a personal *Korban Chattas*.[92] "All" does not refer to sins other than *Tumas Mikdash Vekadashav*.

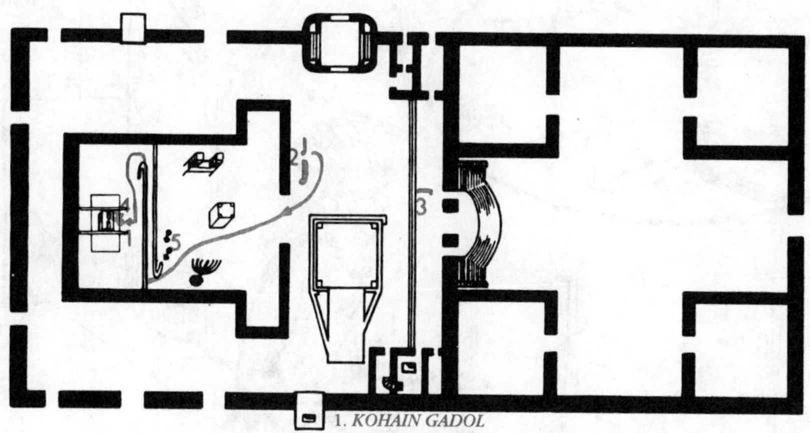

1. *KOHAIN GADOL*
2. SLAUGHTERED BULL & GOAT
3. GOAT FOR AZAZEL
4. SHOVEL WITH INCENSE
5. BULL'S BLOOD ON STAND

GOLD	LINEN	GOLD	LINEN	GOLD
TEVILLAH 1	TEVILLAH 2	TEVILLAH 3	TEVILLAH 4	TEVILLAH 5
KIDDUSH 1	KIDDUSH 3	KIDDUSH 5	KIDDUSH 7	KIDDUSH 9
AVODAS CHUTZ	AVODAS P'NIM	AVODAS CHUTZ	AVODAS P'NIM	AVODAS CHUTZ
KIDDUSH 2	KIDDUSH 4	KIDDUSH 6	KIDDUSH 8	KIDDUSH 10

Second Sprinkling of the Bull's and the Goat's Blood

He then left the *Kodesh Hakodoshim* and put the blood of the goat on a second stand in front of the *Paroches*.

Standing in the *Haichal*, he again took the bull's blood. He sprinkled it eight times with his finger towards (but not onto) the *Paroches* and returned the bowl of blood to its stand. He then took the blood of the goat and sprinkled it in the same manner.

(טז) וְכֵן יַעֲשֶׂה לְאֹהֶל מוֹעֵד — And so he shall do to the *Ohel Moaid*. The *Haichal* in the *Bais Hamikdash* was equivalent to the *Ohel Moaid* in the *Mishkan*.

(יז) וְכָל אָדָם לֹא יִהְיֶה בְּאֹהֶל מוֹעֵד בְּבֹאוֹ לְכַפֵּר בַּקֹּדֶשׁ — And no person shall be in the *Ohel Moaid* when he comes to atone in the *Kodesh Hakodoshim*. No one else was allowed in the *Haichal* while the *Kohain Gadol* burned the *Ketores* or sprinkled the blood in the *Kodesh Hakodoshim*. Also, on *Yom Kippur* and on any other day, when a *Kohain* burned *Ketores* or sprinkled blood in the *Haichal* no one else was allowed in the *Haichal* or in the *Azarah* between the outer *Mizbayach* and the *Haichal*.[93]

וְכִפֶּר בַּעֲדוֹ וּבְעַד בֵּיתוֹ וּבְעַד כָּל קְהַל יִשְׂרָאֵל — And he will have effected atonement for himself and for his household and for the whole congregation of Yisrael. This is an explanation of the purpose of sprinkling blood in the *Haichal*. It is to atone for any *tuma* brought into contact with objects in the *Haichal*, including the *Menorah, Shulchan* and *Paroches*, but not including the inner *Mizbayach*.[94]

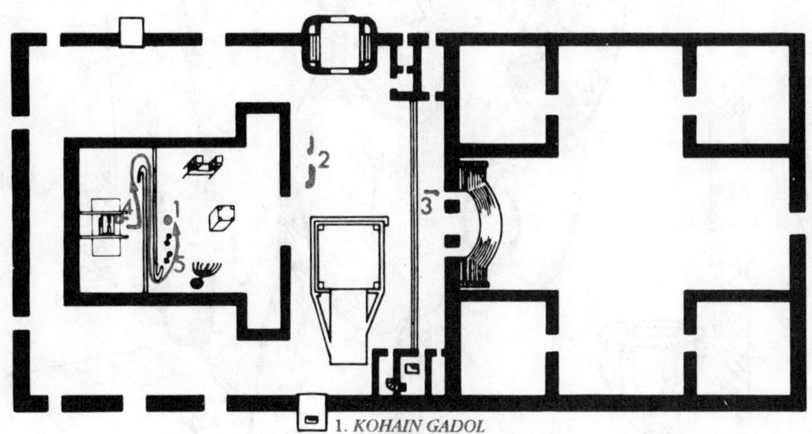

1. *KOHAIN GADOL*
2. SLAUGHTERED BULL & GOAT
3. GOAT FOR AZAZEL
4. SHOVEL WITH INCENSE
5. BULL'S AND GOAT'S BLOOD ON STANDS

GOLD	LINEN	GOLD	LINEN	GOLD
TEVILLAH 1	TEVILLAH 2	TEVILLAH 3	TEVILLAH 4	TEVILLAH 5
KIDDUSH 1	KIDDUSH 3	KIDDUSH 5	KIDDUSH 7	KIDDUSH 9
AVODAS CHUTZ	AVODAS P'NIM	AVODAS CHUTZ	AVODAS P'NIM	AVODAS CHUTZ
KIDDUSH 2	KIDDUSH 4	KIDDUSH 6	KIDDUSH 8	KIDDUSH 10

וְיָצָא אֶל הַמִּזְבֵּחַ . . . וְכִפֶּר עָלָיו

(ויקרא פרק ט״ז פסוק י״ח)

Taking the Blood to the *Mizbayach Hazahav*

He removed the blood of the goat from the stand and mixed it with the blood of the bull. Then he took the mixture from in front of the *Paroches* and carried it beyond the *Mizbayach Hazahav* (golden altar).

וְיָצָא אֶל הַמִּזְבֵּחַ (יח) — And he shall go out to the *Mizbayach*. The term ויצא implies leaving a specific place. Here ויצא does not mean leaving the *Haichal*; rather, it means going out from the area of the *Haichal* on the inner side of the *Mizbayach Hazahav* to the area on the other side of the *Mizbayach*.[95]

וְכִפֶּר עָלָיו — And he shall atone on it. The purpose for smearing and sprinkling blood on the *Mizbayach Hazahav* was to atone for any *tuma* that may have come into contact with this *Mizbayach* or the *Ketores* which was offered up on it.[96]

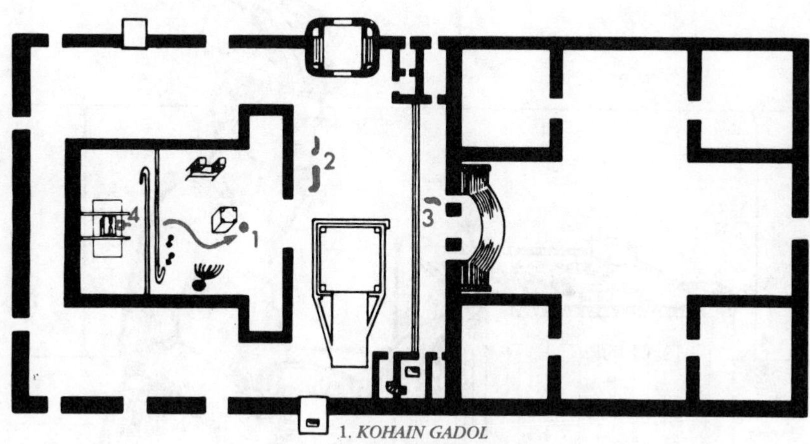

1. *KOHAIN GADOL*
2. SLAUGHTERED BULL & GOAT
3. GOAT FOR AZAZEL
4. SHOVEL WITH INCENSE

GOLD	LINEN	GOLD	LINEN	GOLD
TEVILLAH 1	TEVILLAH 2	TEVILLAH 3	TEVILLAH 4	TEVILLAH 5
KIDDUSH 1	KIDDUSH 3	KIDDUSH 5	KIDDUSH 7	KIDDUSH 9
AVODAS CHUTZ	AVODAS P'NIM	AVODAS CHUTZ	AVODAS P'NIM	AVODAS CHUTZ
KIDDUSH 2	KIDDUSH 4	KIDDUSH 6	KIDDUSH 8	KIDDUSH 10

וְלָקַח מִדַּם הַפָּר וּמִדַּם הַשָּׂעִיר וְנָתַן עַל קַרְנוֹת הַמִּזְבֵּחַ סָבִיב

(ויקרא פרק ט״ז פסוק י״ח)

Smearing the Blood on the Corners of the *Mizbayach*

Starting at the northeast corner, the *Kohain Gadol* smeared the blood on the four corners of the *Mizbayach*. He dipped his finger in the bowl of blood before each application.

וְנָתַן עַל קַרְנוֹת הַמִּזְבֵּחַ סָבִיב (יח) — And he shall put it on the corners of the *Mizbayach* all around. There is a dispute in the *Gemara* as to whether the *Kohain Gadol* walked around the *Mizbayach* or stood in one place when applying the blood on the *Mizbayach*.[97]

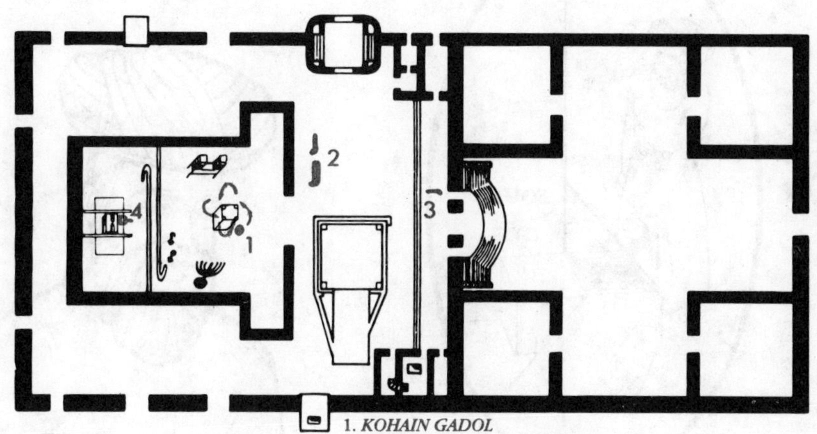

1. *KOHAIN GADOL*
2. SLAUGHTERED BULL & GOAT
3. GOAT FOR AZAZEL
4. SHOVEL WITH INCENSE

GOLD	LINEN	GOLD	LINEN	GOLD
TEVILLAH 1	TEVILLAH 2	TEVILLAH 3	TEVILLAH 4	TEVILLAH 5
KIDDUSH 1	KIDDUSH 3	KIDDUSH 5	KIDDUSH 7	KIDDUSH 9
AVODAS CHUTZ	AVODAS P'NIM	AVODAS CHUTZ	AVODAS P'NIM	AVODAS CHUTZ
KIDDUSH 2	KIDDUSH 4	KIDDUSH 6	KIDDUSH 8	KIDDUSH 10

Sprinkling the Blood on the Corners of the *Mizbayach*

After clearing away the ashes of the daily *Ketores* from the south side of the *Mizbayach*, he sprinkled the blood on it seven times.

The remaining blood was poured onto the bottom of the outer *Mizbayach*.

(יט) וְהִזָּה עָלָיו מִן הַדָּם — And he shall sprinkle of the blood on it. The Torah does not state specifically what is done with the remaining blood after sprinkling. The *Gemara* says that he poured the remaining blood on the foundation of the outer *Mizbayach*.[98]

(כ) וְכִלָּה מִכַּפֵּר אֶת הַקֹּדֶשׁ וְאֶת אֹהֶל מוֹעֵד וְאֶת הַמִּזְבֵּחַ And (when) he finishes attaining atonement for the *Kodesh Hakodoshim* and the *Ohel Moaid* and the *Mizbayach*. The *Gemara* explains that the Torah mentions each atonement individually in order to make them three separate units. Thus, if the blood was lost through spillage before the completion of the *Avodah*, another animal was brought as a replacement *Korban* and the sprinklings are resumed from the beginning of the unit he was doing at the time.[99]

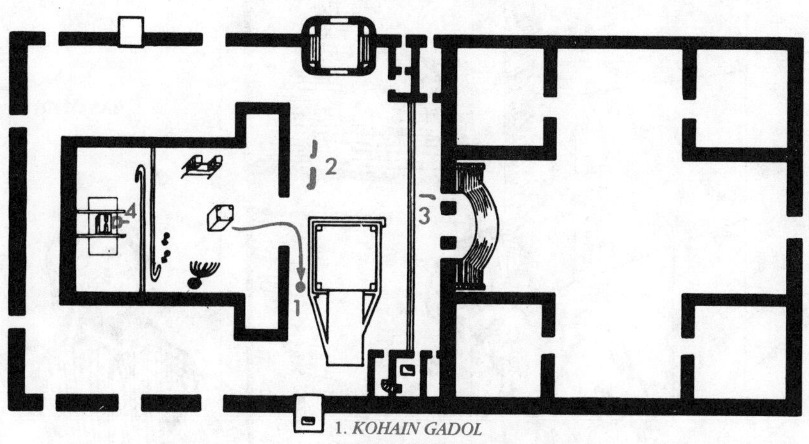

1. *KOHAIN GADOL*
2. SLAUGHTERED BULL & GOAT
3. GOAT FOR AZAZEL
4. SHOVEL WITH INCENSE

GOLD	LINEN	GOLD	LINEN	GOLD
TEVILLAH 1	TEVILLAH 2	TEVILLAH 3	TEVILLAH 4	TEVILLAH 5
KIDDUSH 1	KIDDUSH 3	KIDDUSH 5	KIDDUSH 7	KIDDUSH 9
AVODAS CHUTZ	AVODAS P'NIM	AVODAS CHUTZ	AVODAS P'NIM	AVODAS CHUTZ
KIDDUSH 2	KIDDUSH 4	KIDDUSH 6	KIDDUSH 8	KIDDUSH 10

וְהִקְרִיב אֶת הַשָּׂעִיר הֶחָי . . . וְסָמַךְ אַהֲרֹן . . . וְהִתְוַדָּה עָלָיו

(ויקרא פרק ט״ז פסוקים כ׳ — כ״א)

Viduy on the Goat

Upon completion of the sprinkling and pouring of the blood, the *Kohain Gadol* went to the east side of the *Azarah* where the goat designated for Mount Azazel stands. While leaning on its head with his hands, he confessed on behalf of the entire nation.

וְהִקְרִיב אֶת הַשָּׂעִיר הֶחָי (כ) — And he shall bring close the live goat. From Rashi in the *Mishnah* it appears that the goat did not move from the place where it was stationed after the lottery. [100] והקריב refers to a spiritual closeness. See *Pessukim* ו, ט, and יא.

וְהִתְוַדָּה עָלָיו אֶת כָּל עֲוֹנֹת בְּנֵי יִשְׂרָאֵל (כא) — And he shall confess on it all the sins of the Bnai Yisrael. The purpose of the goat of Azazel is to atone for all other sins (not related to entering the *Mikdash* and eating *Kodshim* when *tamay*). While the *Kohain Gadol* makes a general confession, the people have the opportunity to confess privately. [101]

וְנָתַן אֹתָם עַל רֹאשׁ הַשָּׂעִיר — And he shall put them upon the head of the goat. The commentators explain that this is to be understood as an analogy, as if the sins removed from Yisrael were placed on the head of the goat. [102]

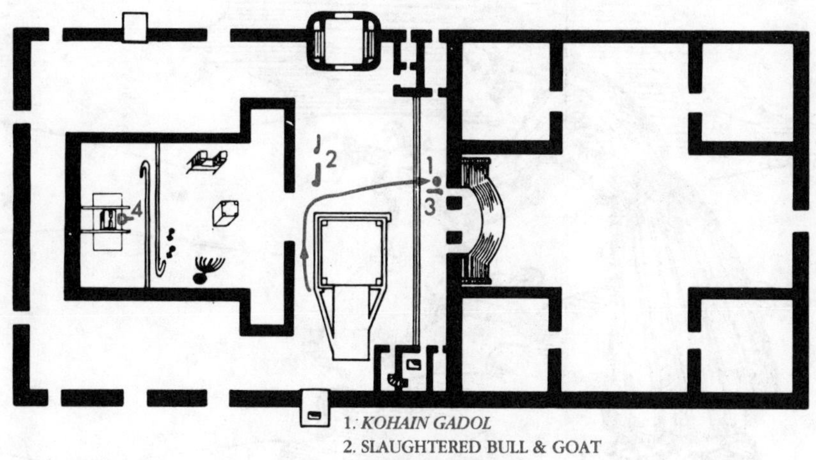

1. *KOHAIN GADOL*
2. SLAUGHTERED BULL & GOAT
3. GOAT FOR AZAZEL
4. SHOVEL WITH INCENSE

GOLD	LINEN	GOLD	LINEN	GOLD
TEVILLAH 1	TEVILLAH 2	TEVILLAH 3	TEVILLAH 4	TEVILLAH 5
KIDDUSH 1	KIDDUSH 3	KIDDUSH 5	KIDDUSH 7	KIDDUSH 9
AVODAS CHUTZ	AVODAS P'NIM	AVODAS CHUTZ	AVODAS P'NIM	AVODAS CHUTZ
KIDDUSH 2	KIDDUSH 4	KIDDUSH 6	KIDDUSH 8	KIDDUSH 10

וְשִׁלַּח בְּיַד אִישׁ עִתִּי הַמִּדְבָּרָה . . . אֶל אֶרֶץ גְּזֵרָה וְשִׁלַּח אֶת הַשָּׂעִיר בַּמִּדְבָּר

(ויקרא פרק ט"ז פסוקים כ"א – כ"ב)

Sending the Goat

The *Kohain Gadol* then sent the goat to the desert with the *Ish Iti*, a person designated to take it. The *Ish Iti* arrived at the cliff of Mount Azazel and pushed the goat backwards off the precipice.

Before throwing the goat off the cliff, the *Ish Iti* divided the red band that was on the goat and tied one part to the cliff and the other part to the horns.

וְשִׁלַּח בְּיַד אִישׁ עִתִּי הַמִּדְבָּרָה (כא) — And he shall send it with a man who was prepared for (the task done at) this time to the wilderness. The *Ish Iti* was selected before *Yom Kippur*. While any person could have been selected, a *Kohain* was generally chosen for this *Mitzvah*. [103]

The *Kohain Gadol* could not leave the *Azarah* until the goat reached the wilderness. At that point, the *Kohain Gadol's* responsibility to "send" the goat was completed. [104] The wilderness began a distance of 3 *mil* from Yerushalayim and the cliff was 9 *mil* further. Since it takes approximately 18 minutes to walk a *mil*, it can be assumed that the *Kohain Gadol* had to wait approximately an hour. [105]

אֶרֶץ גְּזֵרָה (כב) — A cut off land. See Rashi on *Passuk* ח.

וְשִׁלַּח אֶת הַשָּׂעִיר בַּמִּדְבָּר — And he shall send the goat into the wilderness. *Passuk* כא stated that the goat was sent into the wilderness. *Passuk* כב means that after the goat reached the wilderness the *Ish Iti* should send it to its death. [106] See Rashi on *Passuk* י. (The Torah does not explicitly command the *Ish Iti* to throw the goat down the cliff. According to the *Targum Yonasan*, Hashem brought a strong wind which threw it down. [107]

The practice of tying the red band to the goat and cliff is not mentioned in the Torah. It was instituted by the *Chachamim*. See Appendix. [108]

1. *KOHAIN GADOL*
2. SLAUGHTERED BULL & GOAT
3. *ISH ITI* LEADING GOAT TO AZAZEL
4. SHOVEL WITH INCENSE

GOLD	LINEN	GOLD	LINEN	GOLD
TEVILLAH 1	TEVILLAH 2	TEVILLAH 3	TEVILLAH 4	TEVILLAH 5
KIDDUSH 1	KIDDUSH 3	KIDDUSH 5	KIDDUSH 7	KIDDUSH 9
AVODAS CHUTZ	AVODAS P'NIM	AVODAS CHUTZ	AVODAS P'NIM	AVODAS CHUTZ
KIDDUSH 2	KIDDUSH 4	KIDDUSH 6	KIDDUSH 8	KIDDUSH 10

וְאֶת פַּר הַחַטָּאת וְאֵת שְׂעִיר הַחַטָּאת . . . יוֹצִיא אֶל מִחוּץ לַמַּחֲנֶה וְשָׂרְפוּ בָאֵשׁ

(ויקרא פרק ט״ז פסוק כ״ז)

Taking the Bull and Goat to be Burned

While the goat was being taken to the wilderness, the *Kohain Gadol* removed the *Aymurim* (innards) of the bull and goat whose blood had been sprinkled in the *Kodesh Hakodoshim* and placed them in a receptacle. He intertwined their bodies. Then other people carried the bodies out of Yerushalayim on two poles to a place called *Bais Hadeshen* (the Place of Ashes) where the bull and goat were burned.

יוֹצִיא אֶל מִחוּץ לַמַּחֲנֶה (כז) — He shall take out of the camp. "He" does not refer to the the *Kohain Gadol*, but to anyone who takes out the animals. 109

The bull and goat of the *Chattas* were carried out after the sending of the goat to the wilderness. 110 This *Passuk* is written out of its chronological order because the Torah first describes all the *Avodah* of the *Kohain Gadol* and then the duties of others.

"Out of the camp" in this case is equivalent to outside of Yerushalayim. 111

וְשָׂרְפוּ — And they shall burn. The bull and goat were burned only after the goat for the Azazel reached the wilderness. 112

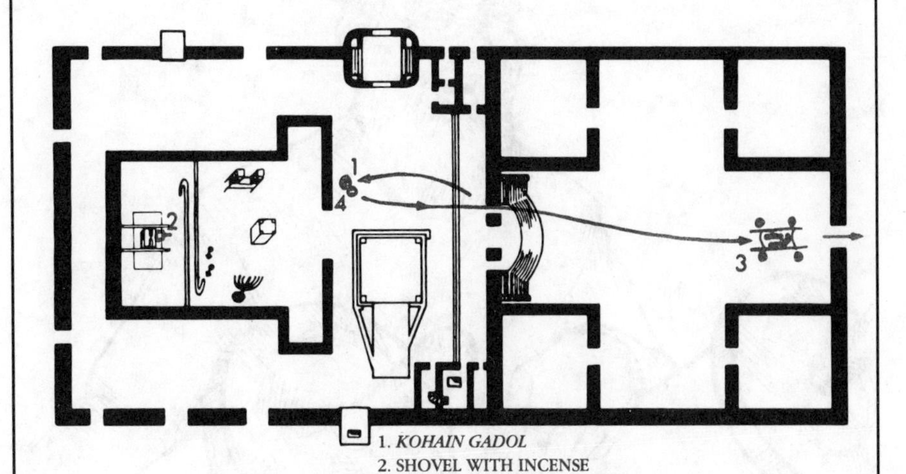

1. *KOHAIN GADOL*
2. SHOVEL WITH INCENSE
3. FOUR *KOHANIM* CARRYING SLAUGHTERED BULL & GOAT
4. *AYMURIM* IN VESSEL

GOLD	LINEN	GOLD	LINEN	GOLD
TEVILLAH 1	TEVILLAH 2	TEVILLAH 3	TEVILLAH 4	TEVILLAH 5
KIDDUSH 1	KIDDUSH 3	KIDDUSH 5	KIDDUSH 7	KIDDUSH 9
AVODAS CHUTZ	AVODAS P'NIM	AVODAS CHUTZ	AVODAS P'NIM	AVODAS CHUTZ
KIDDUSH 2	KIDDUSH 4	KIDDUSH 6	KIDDUSH 8	KIDDUSH 10

Reading the Torah

After the goat designated for Mount Azazel reached the desert, the *Kohain Gadol* went to the *Ezras Nashim* and read the sections of the Torah which describe *Yom Kippur* and its *Korbanos*.

Reading the Torah

The commandment to read the Torah is not mentioned in *Parshas Achray Mos*. It is derived from the *Milu'im*, the inauguration of Aharon and his sons as *Kohanim*, described in *Parshas Tzav*. Moshe Rabbeinu, who was in place of the *Kohain Gadol*, performed the *Avodah* prescribed for the *Milu'im* and also recited the Torah's description of that *Avodah*. After the Torah describes the *Milu'im*, it writes, "just as he did on this day, so has Hashem commanded to do to atone for you." The *Gemara* explains that the words "to atone for you" refer to *Yom Kippur*. The *Gemara* derives from this that certain procedures of the *Milu'im*, including reading the Torah, apply on *Yom Kippur* as well. [113]

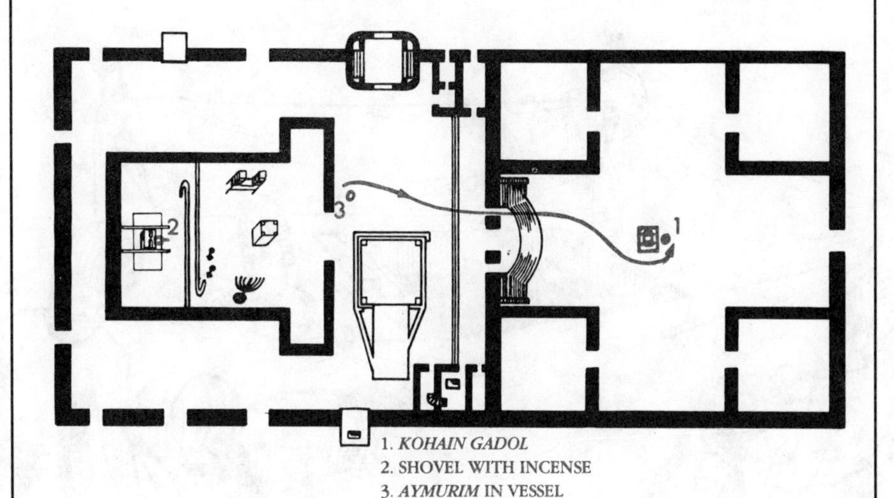

1. *KOHAIN GADOL*
2. SHOVEL WITH INCENSE
3. *AYMURIM* IN VESSEL

GOLD	LINEN	GOLD	LINEN	GOLD
TEVILLAH 1	TEVILLAH 2	TEVILLAH 3	TEVILLAH 4	TEVILLAH 5
KIDDUSH 1	KIDDUSH 3	KIDDUSH 5	KIDDUSH 7	KIDDUSH 9
AVODAS CHUTZ	AVODAS P'NIM	AVODAS CHUTZ	AVODAS P'NIM	AVODAS CHUTZ
KIDDUSH 2	KIDDUSH 4	KIDDUSH 6	KIDDUSH 8	KIDDUSH 10

וְרָחַץ אֶת בְּשָׂרוֹ בַמַּיִם בְּמָקוֹם קָדוֹשׁ וְלָבַשׁ אֶת בְּגָדָיו

(ויקרא פרק ט"ז פסוק כ"ד)

Third *Tevillah*

The *Kohain Gadol* removed his linen garments, immersed himself in the *Mikveh* in the *Bais Haparvah* and put on the golden garments. He washed his hands and feet before removing one set of garments and after putting on the other.

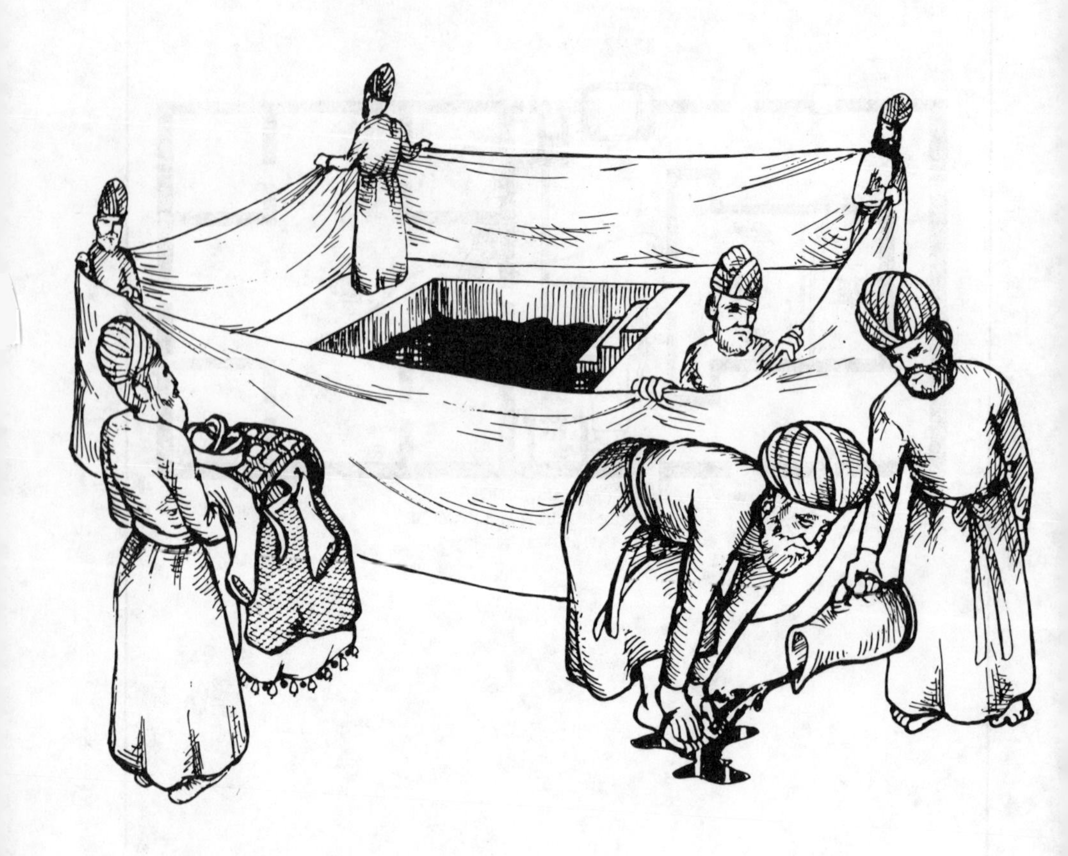

וְרָחַץ אֶת בְּשָׂרוֹ בַמַּיִם (כד) — And he shall wash his body in water. Chronologically, this *Passuk* follows *Passuk* כז. The reason for the order of the Torah is explained in the Ramban and other commentaries. [114]

It is from the structure of this *Passuk* that the *Gemara* derives that the *Kohain Gadol* washed his hands and feet before he removed and after he put on his garments. [115]

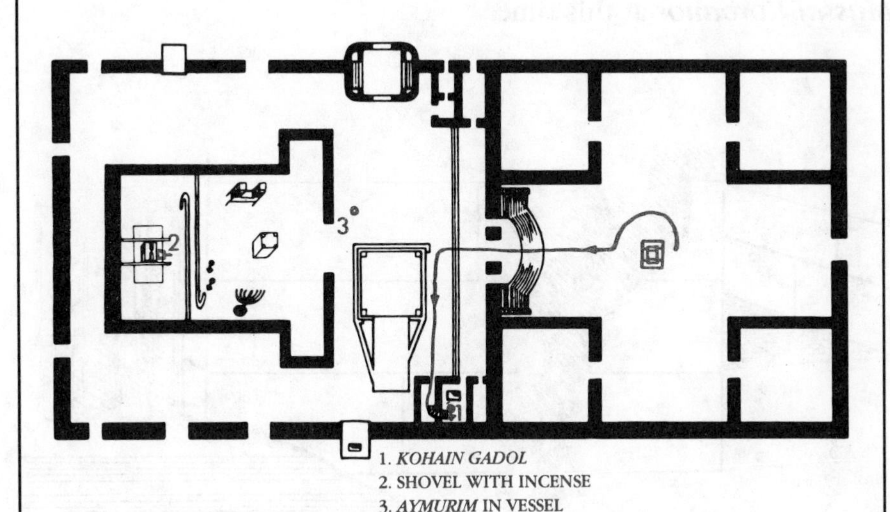

1. *KOHAIN GADOL*
2. SHOVEL WITH INCENSE
3. *AYMURIM* IN VESSEL

GOLD	LINEN	GOLD	LINEN	GOLD
TEVILLAH 1	TEVILLAH 2	TEVILLAH 3	TEVILLAH 4	TEVILLAH 5
KIDDUSH 1	KIDDUSH 3	KIDDUSH 5	KIDDUSH 7	KIDDUSH 9
AVODAS CHUTZ	AVODAS P'NIM	AVODAS CHUTZ	AVODAS P'NIM	AVODAS CHUTZ
KIDDUSH 2	KIDDUSH 4	KIDDUSH 6	KIDDUSH 8	KIDDUSH 10

וְיָצָא וְעָשָׂה אֶת עֹלָתוֹ וְאֶת עֹלַת הָעָם

(ויקרא פרק ט"ז פסוק כ"ד)

Offering the *Korbanos Olah*

He proceeded to the north side of the *Mizbayach* where he offered up two rams as *Korbanos Olah*. The *Avodah* involved in bringing these *Korbanos* included *Shechitah, Kabalah, Holachah* and *Zerikah* of the blood on two corners of the *Mizbayach*, burning the parts on the *Mizbayach* and bringing the accompanying *Korbanos Minchah* and *Nessachim*. He also brought part of the *Mussaf Korbanos* at this time.

וְיָצָא (כד) — And he shall go out. This means that he left the *Haichal*, as Rashi explains. Although immediately before this he was not in the *Haichal*, the *Avodas P'nim* that was done in linen garments took place mainly in the *Haichal*. Now that he has taken off the linen garments and was performing the *Avodas Chutz* in golden garments in the *Azarah*, the Torah writes "he shall go out." 116

אֶת עֹלָתוֹ וְאֶת עֹלַת הָעָם — His *Olah* and the *Olah* of the people. This refers to the rams mentioned in *Pessukim* 3 and 5. The purpose of the rams was to atone for sinful thoughts. 117

According to the opinion followed by the Rambam, the ram which is the "*Olah* of the people" is the same ram specified in *Parshas Pinchas* (*Bamidbar, Perek* כט) as part of the *Korban Mussaf*.

Rashi on the previous *Passuk* writes that along with these *Olos*, part of the *Mussaf* was brought. He does not state which part. The *Lechem Mishneh* writes that any explanation of Rashi would not be consistent with the opinions mentioned in *Mishnayos Yoma*. 118 The explanation which follows the simple meaning of the *Passuk* is that of the Ibn Ezra. He writes that עולת העם refers also to the seven sheep and one bull that are part of the *Korban Mussaf*. 119

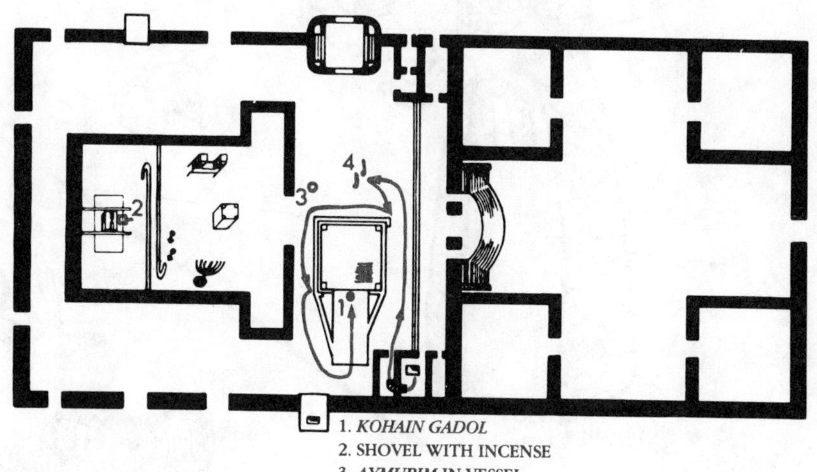

1. *KOHAIN GADOL*
2. SHOVEL WITH INCENSE
3. *AYMURIM* IN VESSEL
4. TWO RAMS

GOLD	LINEN	GOLD	LINEN	GOLD
TEVILLAH 1	TEVILLAH 2	TEVILLAH 3	TEVILLAH 4	TEVILLAH 5
KIDDUSH 1	KIDDUSH 3	KIDDUSH 5	KIDDUSH 7	KIDDUSH 9
AVODAS CHUTZ	AVODAS P'NIM	AVODAS CHUTZ	AVODAS P'NIM	AVODAS CHUTZ
KIDDUSH 2	KIDDUSH 4	KIDDUSH 6	KIDDUSH 8	KIDDUSH 10

וְאֶת חֵלֶב הַחַטָּאת יַקְטִיר הַמִּזְבֵּחָה

(ויקרא פרק ט״ז פסוק כ״ה)

Burning Parts of the Bull and Goat on the *Mizbayach*

The *Kohain Gadol* brought the receptacle containing the *Aymurim* (innards) of the bull and goat to the top of the outer *Mizbayach* and burned them.

וְאֵת חֵלֶב הַחַטָּאת יַקְטִיר הַמִּזְבֵּחָה (כה) — And he shall burn the fat of the *Chattas* on the *Mizbayach*. Although the Torah uses the singular noun *Chattas*, it is referring to the innards of both the bull and the goat. [120] Fat is a general term for all the innards of a *Chattas* that are burned.

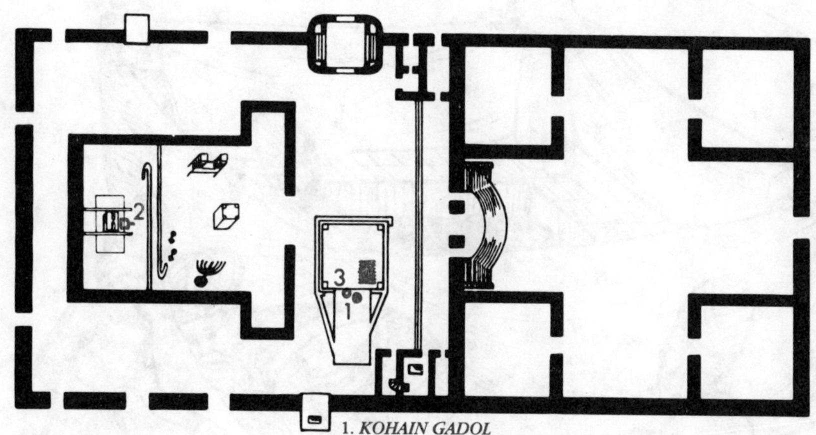

1. *KOHAIN GADOL*
2. SHOVEL WITH INCENSE
3. *AYMURIM* IN VESSEL

GOLD	LINEN	GOLD	LINEN	GOLD
TEVILLAH 1	TEVILLAH 2	TEVILLAH 3	TEVILLAH 4	TEVILLAH 5
KIDDUSH 1	KIDDUSH 3	KIDDUSH 5	KIDDUSH 7	KIDDUSH 9
AVODAS CHUTZ	AVODAS P'NIM	AVODAS CHUTZ	AVODAS P'NIM	AVODAS CHUTZ
KIDDUSH 2	KIDDUSH 4	KIDDUSH 6	KIDDUSH 8	KIDDUSH 10

Fourth *Tevillah*

He returned to the *Bais Haparvah*, immersed himself in the *Mikveh* and changed to linen garments. He washed his hands and feet before removing the golden garments and again after putting on the linen garments.

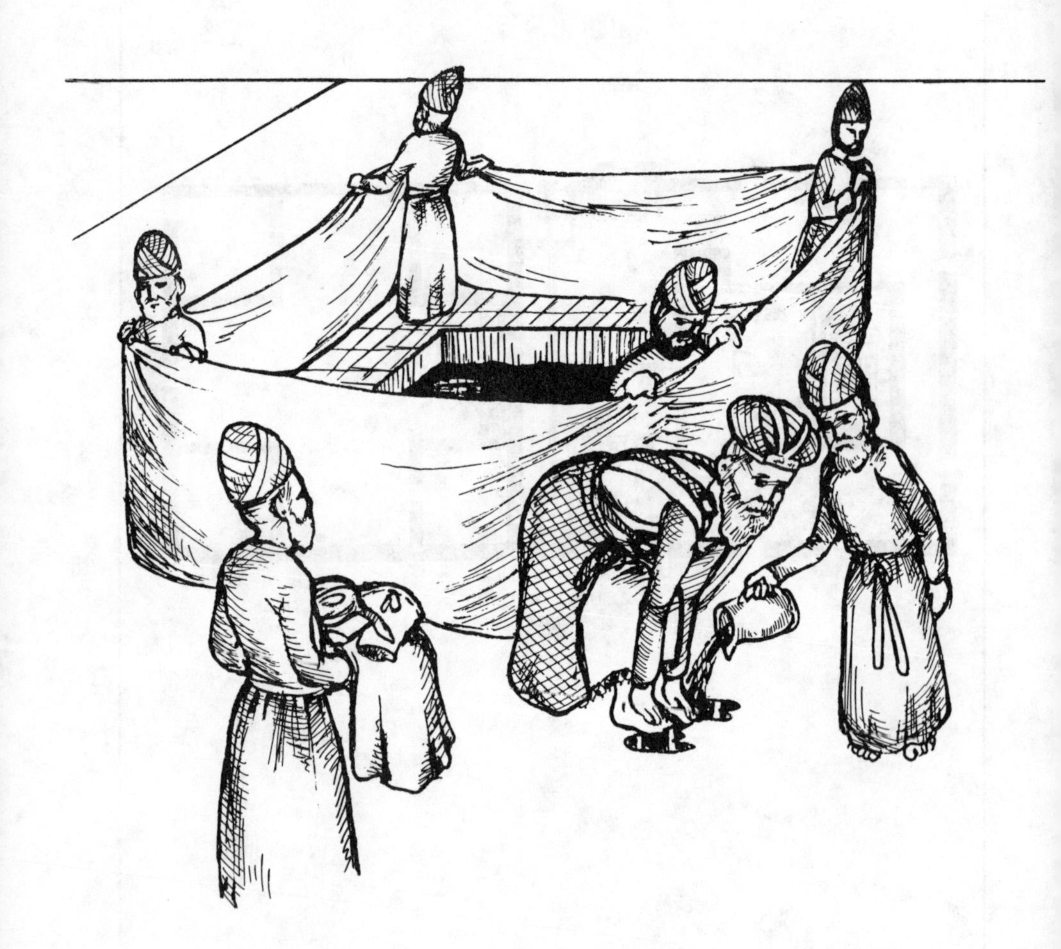

Only two of the five immersions are mentioned specifically in the Torah—in *Passuk* ד which refers to the second *Tevillah* and *Passuk* כד which refers to the third *Tevillah*. The remaining *Tevillos* are a *Halachah L'Moshe Mi'Sinai*. [121]

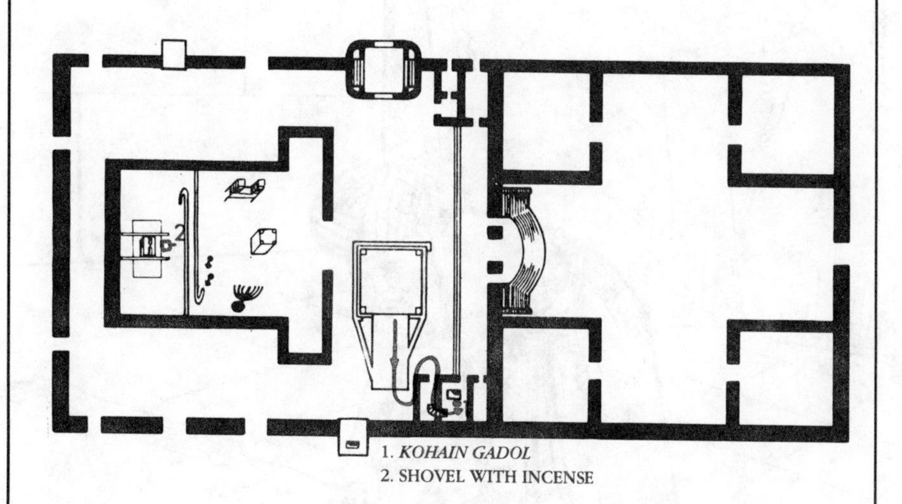

1. *KOHAIN GADOL*
2. SHOVEL WITH INCENSE

GOLD	LINEN	GOLD	LINEN	GOLD
TEVILLAH 1	TEVILLAH 2	TEVILLAH 3	TEVILLAH 4	TEVILLAH 5
KIDDUSH 1	KIDDUSH 3	KIDDUSH 5	KIDDUSH 7	KIDDUSH 9
AVODAS CHUTZ	AVODAS P'NIM	AVODAS CHUTZ	AVODAS P'NIM	AVODAS CHUTZ
KIDDUSH 2	KIDDUSH 4	KIDDUSH 6	KIDDUSH 8	KIDDUSH 10

וּבָא אַהֲרֹן אֶל אֹהֶל מוֹעֵד

(ויקרא פרק ט״ז פסוק כ״ג)

Removal of the *Kaf* and Shovel

The *Kohain Gadol* returned to the *Kodesh Hakodoshim* in his linen clothing to remove the *Kaf* and shovel.

ובָא אַהֲרֹן אֶל אֹהֶל מוֹעֵד (כג) — And Aharon shall come to the *Obel Moaid*. As Rashi says, the *Kohain Gadol* comes to the *Haichal* (*Obel Moaid*) to remove the *Kaf* and shovel. Bringing the two rams for *Olos* as mentioned in the next *Passuk* precedes removal of the *Kaf* and shovel as described above.

The *Gemara* in *Yoma* states that from *Passuk* כג and onward the Torah is not written in chronological order.[122] Rashi says that for the purpose of understanding the sequence of the *Avodah, Passuk* כג follows the conclusion of the *Parshah* of the *Avodah*. The description of the *Avodah* ends with *Passuk* כח.[123]

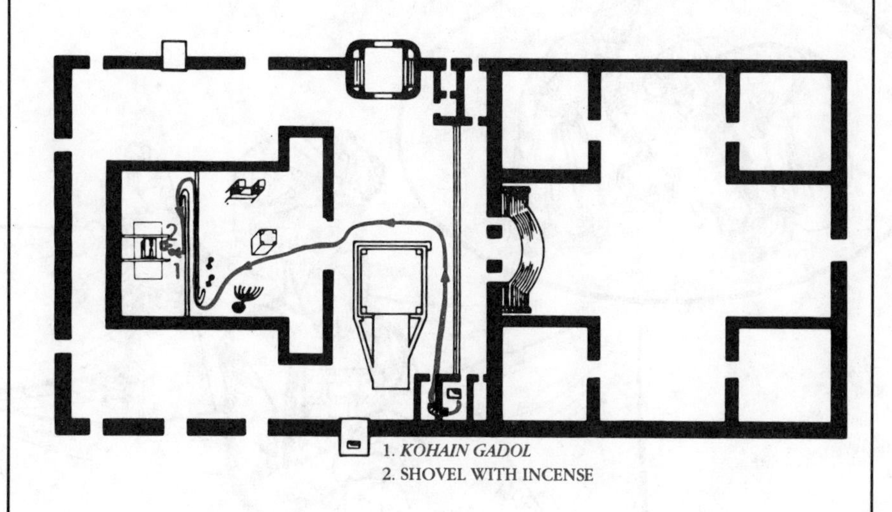

1. *KOHAIN GADOL*
2. SHOVEL WITH INCENSE

GOLD	LINEN	GOLD	LINEN	GOLD
TEVILLAH 1	TEVILLAH 2	TEVILLAH 3	TEVILLAH 4	TEVILLAH 5
KIDDUSH 1	KIDDUSH 3	KIDDUSH 5	KIDDUSH 7	KIDDUSH 9
AVODAS CHUTZ	AVODAS P'NIM	AVODAS CHUTZ	AVODAS P'NIM	AVODAS CHUTZ
KIDDUSH 2	KIDDUSH 4	KIDDUSH 6	KIDDUSH 8	KIDDUSH 10

וּפָשַׁט אֶת בִּגְדֵי הַבָּד אֲשֶׁר לָבַשׁ . . . וְהִנִּיחָם שָׁם

(ויקרא פרק ט"ז פסוק כ"ג)

Fifth *Tevillah*

For the last time, he went back to the *Bais Haparvah*, removed his linen clothing, immersed himself and put on the eight golden garments. He washed his hands and feet before removing one set of garments and after putting on the second. He put the linen garments away.

וְהִנִּיחָם שָׁם (כג) — And he shall leave them there. The *Kohain Gadol* removed the linen garments for the last time. This set was never to be used again. While the word שם may refer to any place in the *Azarah*, the commentators write that a specific place in close proximity to the *Bais Haparvah* was chosen. 124

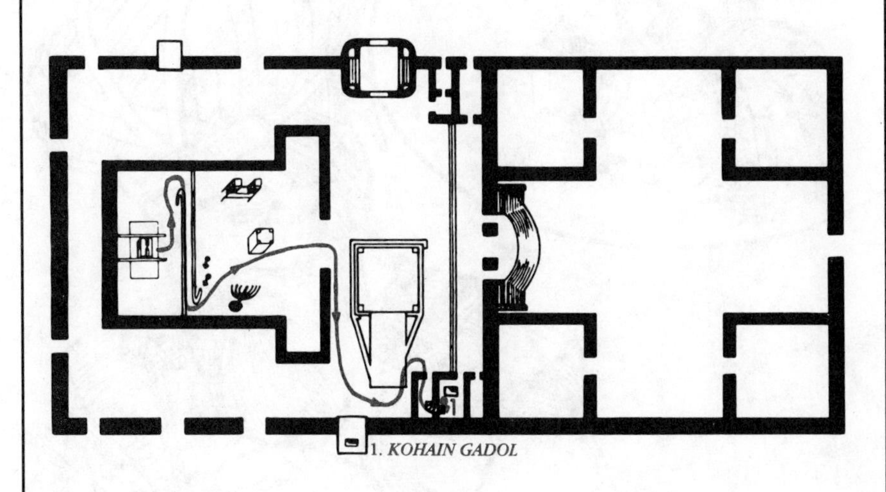

GOLD	LINEN	GOLD	LINEN	GOLD
TEVILLAH 1	TEVILLAH 2	TEVILLAH 3	TEVILLAH 4	TEVILLAH 5
KIDDUSH 1	KIDDUSH 3	KIDDUSH 5	KIDDUSH 7	KIDDUSH 9
AVODAS CHUTZ	AVODAS P'NIM	AVODAS CHUTZ	AVODAS P'NIM	AVODAS CHUTZ
KIDDUSH 2	KIDDUSH 4	KIDDUSH 6	KIDDUSH 8	KIDDUSH 10

Completion of the *Mussaf* and *Tamid*

The *Kohain Gadol* completed bringing the *Mussaf Korbanos* and the afternoon *Tamid*. He repeated all that was done for the daily *Avodah* in the morning. He kindled the *Menorah* which burned throughout the night.

When he completed the *Avodah*, he washed his hands and feet for the tenth time. Then he changed back into his regular clothing and returned to his home.

EAST מזרח →

There are many opinions as to when which part of the *Mussaf* was offered. (See Appendix.) Following the opinion of Ibn Ezra that the bull and seven sheep of the *Mussaf* were brought together with the rams in *Passuk* כד, the only *Korban Mussaf* that remained to be brought at this point was a goat.

The completion of the *Avodah* called for much festivity and was celebrated by the *Kohain Gadol* and his friends with a meal on the following day.[125]

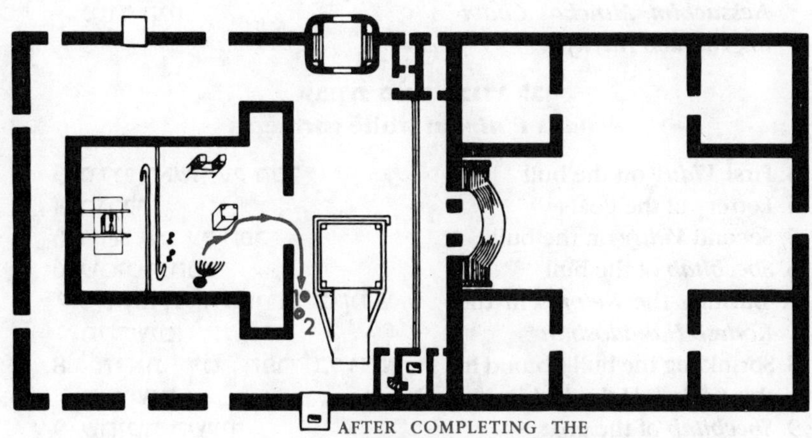

AFTER COMPLETING THE AFTERNOON *AVODAH*, THE *KOHAIN GADOL* WENT TO THE PLACE OF THE *KIYOR* TO WASH HIS HANDS AND FEET.
1. *KOHAIN GADOL*
2. *KIYOR*

GOLD	LINEN	GOLD	LINEN	GOLD
TEVILLAH 1	TEVILLAH 2	TEVILLAH 3	TEVILLAH 4	TEVILLAH 5
KIDDUSH 1	KIDDUSH 3	KIDDUSH 5	KIDDUSH 7	KIDDUSH 9
AVODAS CHUTZ	AVODAS P'NIM	AVODAS CHUTZ	AVODAS P'NIM	AVODAS CHUTZ
KIDDUSH 2	KIDDUSH 4	KIDDUSH 6	KIDDUSH 8	KIDDUSH 10

SUMMARY: STEPS OF THE *AVODAH*

This summary follows Rashi on *Chumash*. It varies from both the *Sfard* and *Ashkenaz Piyutim* with respect to the placement of the *Korbanos Mussaf*. See Appendix on the order of the *Mussafim*.

עבודת חוץ בבגדי זהב

***Avodas Chutz* in golden garments**

1. *Shechitah* of the morning *Tamid, Kabalah, Holachah, Zerikah*	1. שחיטת תמיד של שחר, קבלה, הולכה, זריקה
2. *Ketores,* burning the *Tamid* on the *Mizbayach, Minchas Nessachim, Minchas Chavitin, Nissuch Hayayin*	2. קטורת, הקטרת אברי התמיד, מנחת נסכים, מנחת חביתין, נסוך היין

עבודת פנים בבגדי לבן

***Avodas P'nim* in white garments**

3. First *Viduy* on the bull	3. וידוי ראשון על הפר
4. Lottery of the goats	4. הגרלה
5. Second *Viduy* on the bull	5. וידוי שני על הפר
6. *Shechitah* of the bull	6. שחיטת הפר
7. Burning the *Ketores* in the *Kodesh Hakodoshim*	7. הקטרת הקטורת בקודש הקדשים
8. Sprinkling the bull's blood in the *Kodesh Hakodoshim*	8. הזאת דם הפר בקודש הקדשים
9. *Shechitah* of the goat	9. שחיטת השעיר
10. Sprinkling the goat's blood in the *Kodesh Hakodoshim*	10. הזאת דם השעיר בקודש הקדשים
11. Sprinkling the bull's blood on the *Paroches*	11. הזאה מדם הפר על הפרוכת
12. Sprinkling the goat's blood on the *Paroches*	12. הזאה מדם השעיר על הפרוכת
13. Mixing the blood, putting it on the corners of the golden *Mizbayach* and sprinkling on top	13. נתינת והזאת דם שניהם (אחר שערבן) על מִזבח הזהב
14. *Viduy* on the goat for Azazel	14. וידוי על השעיר לעזאזל
15. Sending the goat to Azazel	15. שילוח השעיר לעזאזל

16. Removing the *Aymurim* (parts to be burned on the *Mizbayach*) of the bull and goat	16. הוצאת אמורי פר ושעיר
17. Sending the bull and goat to be burned outside Yerushalayim	17. שילוח הפר ושעיר
18. Reading the Torah	18. קריאת התורה

עבודת חוץ בבגדי זהב

Outer *Avodah* in golden garments

19. Bringing the *Kohain Gadol's* ram as a *Korban Olah*	19. הקרבת אילו
20. Bringing the people's ram as a *Korban Olah*	20. הקרבת איל העם
21. Bringing some of the *Korbanos Mussaf*	21. הקרבת מקצת מוספין
22. Bringing the *Aymurim* of the bull and goat on the *Mizbayach*	22. הקטרת אימורין של פר ושעיר

עבודת פנים בבגדי לבן

Inner *Avodah* in white garments

23. Removal of *kaf* and shovel from the *Kodesh Hakodoshim*	23. הוצאת כף ומחתה

עבודת חוץ בבגדי זהב

Outer *Avodah* in golden garments

24. Bringing the remainder of the *Korbanos Mussaf*	24. שיירי מוספין
25. *Shechitah* of the evening *Tamid, Kabalah, Holachah, Zerikah, Ketores,* burning the *Tamid* on the *Mizbayach*, lighting the *Menorah, Minchas Nessachim, Minchas Chavitin, Nissuch Hayayin*	25. שחיטת תמיד של בין הערביים, קבלה, הולכה, זריקה, קטורת, הקטרת אברי התמיד, הדלקת הנרות, מנחת נסכים, מנחת חביתין, נסוך היין

The *Korbanos* of *Mussaf*, as specified in *Parshas Pinchas* (*Bamidbar, Perek* 29) are "the people's ram" listed above, a bull, seven lambs and a goat. The goat is a *Chattas*. The other *Korbanos* are *Olos* accompanied by *Minchas Nessachim* and *Nissuch Hayayin*.

Section II

Appendix: More Insights into the *Avodah*

MORE INSIGHTS INTO THE *AVODAH*

Pouring the *Ketores*

Before burning the *Ketores*, the *Kohain Gadol* had to pour all the *Ketores* from the *Kaf* into his cupped hands. There are various opinions as to how the *Kohain Gadol* emptied the *Kaf* into his hands.

According to the Rambam, the *Kohain Gadol* held the edge of the *Kaf* above his hands with his teeth or fingertips. He then pushed the *Ketores* with his thumbs from the *Kaf* into his hands. 126

According to the Me'iri, the *Kohain Gadol* held the handle of the *Kaf* between his teeth and removed the *Ketores* with his thumbs. 127

According to Rashi, the *Kohain Gadol* suspended the *Kaf* above his hands by grasping its handle between his elbows. Then he carefully rotated the handle so that the *Kaf* emptied into his hands. 128

The *Yerushalmi* cites an opinion that the *Kohain Gadol* held the *Kaf* with his legs while pouring.

Another version given in the *Yerushalmi* is that the *Kohain Gadol* threw the *Kaf* of *Ketores* up and over, cupped his hands and caught the falling *Ketores*.

Yet another opinion states that the *Kohain Gadol* need not place the *Ketores* on the burning embers with his hands. According to this opinion, he simply poured the *Ketores* on the embers directly from the *Kaf*. [129]

Tumas Mikdash Vekadashav

Tumas Mikdash Vekadashav means entering the *Bais Hamikdash* or eating *Kodshim* while *tamay*. There are five *Korbanos*, three of which are brought on *Yom Kippur*, that relate to *Tumas Mikdash Vekadashav*. The five *Korbanos* are as follows:

1) The *Korban Oleh Veyored* brought by an individual any time of the year (*Vayikra* 5:23)
2) The bull whose blood is sprinkled in the *Haichal* on *Yom Kippur*
3) The goat whose blood is sprinkled in the *Haichal* on *Yom Kippur*
4) The goat brought as part of the *Mussaf* on *Yom Kippur*
5) The goats brought as part of the *Mussaf* on every *Yom Tov* and *Rosh Chodesh*

The *Korban Oleh Veyored* is brought only if the individual had been aware that he was *tamay* and that the place he later entered or food he later ate was *Kodoshim*. If he subsequently forgets any of these facts and eats the *Kodoshim* or enters the *Bais Hamikdash*, when he remembers or is reminded of his error he attains forgiveness by bringing the *Korban Oleh Veyored*. In the interim until he becomes aware of his sin and attains forgiveness, he is protected from Hashem's punishment by the שעיר הפנימי, the goat whose blood is sprinkled within the *Haichal* on *Yom Kippur*.

In each of these cases the individual is a שוגג, that is, he acted wrongly but he did not realize it at the time. However, if he was a מזיד, that is, if he is aware at the time of the act that it is prohibited, the שעיר פנימי atones for him.

If he was not aware (of the fact that he was *tamay* or of the *Kedushah* of the place or food) before sinning and became aware afterwards, the שעיר מוסף של יו"כ, the goat brought as a *Mussaf* on *Yom Kippur*, will atone for him. If he never becomes aware of these facts he receives atonement with the שעיר מוסף של רגלים ור"ח, (goat brought as a *Mussaf* on *Rosh Chodesh* and *Yom Tov*).

The effects of the goats on *Yom Kippur*, שעיר מוסף and שעיר פנימי, apply only to non-*Kohanim*. The *Kohanim* achieved all the same effects with the פר פנימי, the bull whose blood was sprinkled within the *Haichal* on *Yom Kippur*.

The *Korbanos* brought on *Yom Kippur* accomplished their atonements in conjunction with the atonement intrinsic in the day of *Yom Kippur* itself.[130]

BEFORE SIN	DURING SIN	AFTER SIN	KORBAN FOR NON—*KOHAIN*	KORBAN FOR *KOHAIN*	PURPOSE
knew	didn't know	knew	עולה ויורד	same	atones
knew	didn't know	didn't know	שעיר פנימי	פר פנימי	protects
didn't know	didn't know	knew	שעיר מוסף יו"כ	פר פנימי	atones
didn't know	didn't know	didn't know	מוסף ר"ח ורגל	same	atones
knew	knew	knew	שעיר פנימי	פר פנימי	atones

The Red Bands

The *Mishnah* in *Yoma* states that after the lottery the *Kohain Gadol* tied a red woolen thread on the horns of the goat which was to be sent to Azazel. [131] This is not a requirement of the Torah. The purpose was to avoid confusing this goat with the one which was for Hashem. The *Gemara* interprets the language of the *Mishnah* to mean that he also tied a band around the neck (as opposed to between the horns) of the goat for Hashem. This was to prevent confusion with other goats in the *Bais Hamikdash*, such as the *Mussaf* goat. [132] However, the *Mishnah* in *Shekalim*, when listing the items obtained for the *Bais Hamikdash*, mentions the band between the horns but makes no mention of a band tied around the neck, indicating that a band was not tied to the goat for Hashem. [133] The Rambam uses the ambiguous language of the *Mishnah* in *Yoma* without indicating if we are to accept the analysis of the *Gemara* or not. [134] The *Piyut* in the *Nusach Sfard Machzor* makes note of this band around the neck, but the *Piyut* in the *Nusach Ashkenaz Machzor* omits any mention of it. [135]

Yeshaya Hanavi prophecied, "If your sins are red as wool they will become white as snow." [136] The *Gemara* explains that this has a literal connotation. Namely, that when we are worthy, the forgiveness will be displayed by means of red wool turning white on *Yom Kippur*. [137]

The *Yerushalmi* relates that at first every individual person used to tie a piece of red wool to his window. However, this was embarrassing to those unworthy of forgiveness whose wool remained red. [138] Therefore, this test of individuals was discontinued. Instead, the red wool was tied to the door of the *Haichal*. Unfortunately, there were years when it remained red. This resulted in a feeling of discouragement and shame among the people. The *Chachamim* decided to keep the wool away from the public view and tied it inside the *Haichal*. Even so, they found that curious spectators could not be prevented from getting a glimpse of it. Finally, they instituted that the wool be hung on a rock at the cliff. [139] No one could accompany the *Ish Iti* all the way to the cliff, and the *Ish Iti* himself returned only after *Yom Kippur*. [140] Thus, no one would know the results and become discouraged on *Yom Kippur*.

Order of the *Mussaf*

The *Mussaf*, as described in *Parshas Pinchas* (*Bamidbar* 29), consisted of seven sheep, one bull, one goat and one ram. This ram is the same one described in *Parshas Achray Mos* (*Perek* 16, *Passuk* 24) as *Olas Ha'am*. Rashi (*Vayikra* 16:23) writes that the remainder of the *Mussaf* followed the *Mussaf* ram in two segments. There are various opinions among the commentaries on Rashi as to which of the *Korbanos* were in each segment. There are also opinions in the *Mishnah* and *Gemara* that differ from Rashi. The following are some of the various opinions:[141]

שיטת רש״י בחומש	שיטת רבי אליעזר בגמרא	שיטת רבי עקיבא בגמרא
	(פיוט אשכנז)	(פיוט ספרד)
תמיד של שחר	תמיד של שחר	תמיד של שחר
		פר וז׳ כבשים של מוסף
פרו של אהרן שעיר לה׳	פרו של אהרן שעיר לה׳	פרו של אהרן שעיר לה׳
		שעיר המוסף
אילו ואיל העם	אילו ואיל העם	אילו ואיל העם
* אמורי פר ושעיר	אמורי פר ושעיר	אמורי פר ושעיר
** מקצת מוספין		
*** שיירי מוספין	פר וז׳ כבשים ושעיר של מוסף	
תמיד של בין הערביים	תמיד של בין הערביים	תמיד של בין הערביים

* לא נזכר ברש״י

** לדעת הא״ע היינו פר וז׳ כבשים
לדעת הלח״מ היינו שעיר
ויש אומרים היינו ז׳ כבשים

*** לדעת הא״ע היינו שעיר
לדעת הלח״מ היינו פר וז׳ כבשים
ויש אומרים היינו פר ושעיר[142]

Letter From a Roman Citizen

Rabbi Yaakov Emden includes in his Siddur (after the Tashlich prayer) the following account authored by a Roman citizen who witnessed the procedure in which the Kohain Gadol was taken to the Bais Hamikdash seven days before Yom Kippur.

... The second service is the coming of the *Kohain Gadol* to the *Bais Hamikdash*. They did not tell me how he served in the *Bais Hamikdash*, but they told me about his going in and of his departing from the *Bais Hamikdash*. I saw some of it with my own eyes and was astonished. I then said: "Blessed is the One who shared His honor with these people."

Seven days before the (special) day called *Yom Kippur* (which is the most honorable of all days for the Jewish people), they prepared in the *Kohain Gadol's* house seats for the head of the *Bais Din*, the *Kohain Gadol*, the deputy to the *Kohain Gadol* and the King. Aside from these, seventy chairs of silver were prepared for the seventy members of the *Sanhedrin*.

An old sage of the *Kohanim* would stand up and say to the *Kohain Gadol* words of admonishment. He said: "Be aware before Whom you are entering. Consider that if you don't perform as intended, you will fall and die. Consequently, the forgiveness of all of Yisrael will be lost. Behold, the eyes of the entire nation of Yisrael are turned towards you. Scrutinize your ways lest you have even a small sin, for sometimes one sin can outweigh many *Mitzvos*. The balance is known only to Hashem, the Lord of all thoughts. Also, inquire of the *Kohanim*, your brothers, and purify them. Pay heed that you are coming before the King of Kings who sits on a throne of judgment and seeks out with His eyes all evil. How can you come if the enemy is with you?"

The *Kohain Gadol* then answered that he had already scrutinized himself and repented from anything which seemed a sin. The sage also gathered his brothers the *Kohanim* in the *Azarah* of the *Bais Hamikdash* and made them swear in the Name of the One who dwells in the *Bais Hamikdash* that everyone should report whatever wrong he sees in his friend or whatever fault he himself has. The sage would assign to each of them the method to achieve the proper atonement.

The King encouraged the *Kohain Gadol* and assured him of honor upon his peaceful departure from this holy place.

After this, they would announce in which direction the *Kohain Gadol* would go to his special room in the *Bais Hamikdash*. Then all the people would go out to accompany him. They walked in a certain order. This is the order in which I saw them walk before him:

First went descendants from the Kings of Yisrael, because those closer to the *Kohain* in the procession are more important.

After them went members of the royal family of Dovid, all in a proper order, one after the other. A crier went before them and proclaimed:

"Give honor to the royalty of the House of Dovid."

After them came the House of Levi, and the crier proclaimed: "Give honor to the House of Levi." They numbered thirty-six thousand. Their deputies wore blue silk clothing. The *Kohanim* wore white silk. These numbered twenty-four thousand.

Then came those *Leviim* who sang in the *Bais Hamikdash*, followed by musicians, trumpet blowers, the keepers of the gates, the makers of the perfumes for the incense, the makers of the *Paroches*, guards, officers and a group called Cratophilus. They were followed by anyone who worked in the *Bais Hamikdash*, the *Sanhedrin* of seventy and one hundred police who held silver rods in order to make a path.

After them walked the *Kohain Gadol*. He was followed by the elders of the *Kehunah* who walked in pairs.

At the entrance to each street the *Roshei Yeshivah* rose saying: "Sir, *Kohain Gadol*, may you come in peace. Pray to our Creator that He should sustain us in order that we should be able to learn Torah."

When the procession reached the gate of the *Har Habayis*, they first prayed that the Kingdom of Dovid should continue and then they prayed for the welfare of the *Kohanim* and for the *Bais Hamikdash*. The sound of the multitudes was so powerful that when they answered "*Amein*," flying birds fell to the ground. Then the *Kohain Gadol* bowed towards the people and turned away in tears and awe. Two deputies of the *Kehunah* walked him to his room where he was separated from all his brothers the *Kohanim*.

This took place when he entered. However, when he left, the honor he received was double as much, for all the people in Yerushalayim passed before him. Most of them had torches of flaming white wax. All wore white clothes. All the windows were decorated with embroidery and full of lights.

The *Kohanim* told me that many years the *Kohain Gadol* couldn't reach his house before midnight because of the great numbers of people who came and the great congestion. Even though the people were all fasting, they would not go to their houses till they tried to reach and kiss the hand of the *Kohain Gadol*.

The following day, the *Kohain Gadol* hosted a great feast. He invited his friends and relatives and made a day of festivity to celebrate his safe emergence from the *Kodesh Hakodoshim*. Afterwards, he would have a craftsman make a golden tablet and engrave it to read: "I, So-and-So, the *Kohain Gadol*, the son of So-and-So, the *Kohain Gadol*, served as *Kohain Gadol* in the great and holy House, in the service of the One who dwells there, in Such-and-Such a year after creation. May the One who granted me the merit of this service also grant the merit to my children after me to stand in the service of Hashem."

This is the full text of the account. May it serve as a reminder of what we have lost and may we be inspired to implore Hashem that He gather in our exiles and restore the Avodah of the Bais Hamikdash as it once was.

Section III

The *Avodah* As Described in the *Mussaf* Prayer

THE AVODAH—NUSACH ASHKENAZ

The following is a description of the *Avodah* as it appears in the *Mussaf* prayer of *Yom Kippur*. Only those parts that relate directly to the *Avodah* itself have been presented in translation. Because there is some divergence between the *Nusach Ashkenaz* and *Nusach Sfard*, both versions have been presented. References have been made within the translation to more detailed descriptions of the *Avodah* in other sections of this book.

אַמִּיץ כֹּחַ כַּבִּיר וְרַב אוֹנִים. אֲשֶׁר מִי יַעֲשֶׂה כְּמַעֲשׂ גְּבוּרוֹתֶיךָ. אֹמֶץ עֲלִיּוֹת קֵרִיתָ עַל קָרִים. אַף יִסַּדְתָּ תֵּבֵל עַל בְּלִימָה: בִּהְיוֹת עוֹלָם חֹשֶׁךְ וְצַלְמָוֶת וְעֵיפָה. בְּמַעֲטֵה לְבוּשְׁךָ אוֹר בֹּקֶר הִגַּהְתָּ. בֵּין זֵידוֹנִים חַצְתָּ כְּקֶרַח הַנּוֹרָא. בְּצוּל הִקְוִיתָם לְבַל יְכַסּוּן חָלֶד: גִּלִּיתָ פְּנֵי נֶשִׁי וְהֵנֵצָה תְנוּבָה. גַּן מִקֶּדֶם טַעְתָּ לְשַׁעֲשׁוּעַ מַאֲמִירֶיךָ. גֹּדֶל מְאוֹרוֹת תַּתָּה בִּרְקִיעַ עֻזֶּךָ. גַּם צְבָא מַזָּרוֹת עִמָּם צִוִּיתָ: דֵּי שָׁחִים וְדָאִים מִשֹּׁעַל צַרְתָּ. דִּמְיוֹן בָּרִיחַ לְכֵרַת יוֹשְׁבֵי גַנִּים. דְּבוּקַת רְגָבִים הוֹצִיאָה רוֹמְשִׂים וְשׁוֹאֲפִים. דָּר קָנֶה וּבִצָּה לַאֲרוּחַת קְרוּאֶיךָ: הֵכַנְתָּ טֶבַח וּמֶסֶךְ וְסוֹעֵד אָיִן. הִקְרַצְתָּ גֹלֶם מֵחֹמֶר בְּתַבְנִית חוֹתָמֶךָ. הִפַּחְתָּ בְּחֶלְדּוֹ טֹהַר נֶשֶׁם מִזְּבוּלֶךָ. הָרְדַּם וּמִצַּלְעוֹ עֵזֶר לוֹ יִעַדְתָּ: וְצִוִּיתוֹ בְּלִי לְעוֹט מֵעֵץ הַדַּעַת. וְהֵפֵר צִוּוּי כְּפֶתִי בְּהַשָּׁאַת זוֹחֵל. וְעֻנַּשׁ בְּזֵעַת אַף לִטְרוֹף חֻקּוֹ. וְאוּלֶּת בְּצִירִים. וְעָרוּם עָפָר לַחְמוֹ: זֵרוּי רִבְעוֹ הִקְפֵּיתָ בְּבֶטֶן חוֹמֶדֶת. זָרְעָה וְהוֹלִידָה אִכָּר וְרוֹעֶה צֹאן. זֶבַח נָשֵׂי הִגִּישׁוּ לְמוֹלָךְ יַחַד. זָעַמְתָּ בְּרַב וְשָׁעְתָּ תְּשׁוּרַת צָעִיר: חֶמֶל רַחֲמָיו שִׁחֵת וְעָרַף אָח. חִלָּה פָנֶיךָ וְשַׂמְתָּ לוֹ אוֹת: חָלוּ שְׁלִישִׁים קְרוֹא בְשִׁמְךָ לַסָּמֶל. חֵיל נוֹזְלִים קָרָאתָ וּשְׁטָפוּם וְאָבָדוּ: טָעוּ גֵאִים וּפָצוּ סוּר לְנֶגְדֶּךָ. טוֹרְפוּ בְּחוֹם הוֹמִים וְזוֹרְבוּ נִצְמָתוּ. טָעוּן גֹּפֶר נוֹשַׁע כְּסָגַרְתָּ בַּעֲדוֹ. טְפוּלָיו הִפְרֵיתָ וּמָלְאוּ פְּנֵי צִיָּה: יָעֲצוּ נֶאֱחָדִים לָרוּם עַד לַשַּׁחַק. יֻקְשׁוּ נֻפְּצוּ בְּרוּחַ סוֹעָה נָסָעַר: יְדִיד אֲתוּי עֵבֶר יִדַּעֲךָ בָּעוֹלָם. יִחוּם זְקוּנָיו הֶעֱלָה לְךָ לְכָלִיל: כְּשֶׂה תָמִים בֵּחַר אִישׁ תָּם. כְּחָשַׁק יְשִׁיבַת אֹהָלִים וְנִמְשַׁךְ אַחֲרֶיךָ: כֹּשֶׁר חֲנִיטֵי יוֹף הוֹצֵאתָ מֵחֲלָצָיו. כֻּלּוֹ זֶרַע אֱמֶת וְאֵין דֹּפִי: לְשָׁרֶתְךָ אִוִּיתָ לֵוִי אִישׁ חֲסִידֶךָ. לְהַבְדִּיל מִגִּזְעוֹ מְקֻדָּשׁ קֹדֶשׁ קָדָשִׁים. לִקְשׁוֹר נֵזֶר קֹדֶשׁ וְלַעֲטוֹת אוּרִים. לֵישֵׁב כִּכְבֻדָּה פְּנִימָה יָמִים שִׁבְעָה:

Seven Days before *Yom Kippur*

The week before the tenth (of *Tishrei*, the *Sanhedrin*, who are the) upholders of the faith,

מַחֲזִיקֵי אֱמוּנָה שָׁבוּעַ קוֹדֶם לֶעָשׂוֹר. מַפְרִישִׁים כֹּהֵן הָרֹאשׁ

כְּדַת הַמִּלֻּאִים: מַזִּים עָלָיו מֵי חַטָּאת לְטַהֲרוֹ. זוֹרֵק מַקְטִיר וּמֵטִיב לְהִתְרַגֵּל בָּעֲבוֹדָה: כַּכָּתוּב בְּתוֹרָתֶךָ כַּאֲשֶׁר עָשָׂה בַּיּוֹם הַזֶּה צִוָּה ה' לַעֲשׂוֹת לְכַפֵּר עֲלֵיכֶם: נִלְוִים אֵלָיו נְבוֹנִים יְשִׁישֵׁי שָׁעַר. נוֹאֲמִים לוֹ קְרָא נָא בְּפִיךָ:

sequestered the *Kohain Gadol* (in the *Bais Hamikdash*), just as (the *Kohanim* were confined to the *Mishkan*) at the time of the *Milu'im*. They sprinkled water of the *Parah Adumah* on him in order to purify him. In order to become accustomed to doing the *Avodah*, he would sprinkle the blood (of the daily *Korbanos* on the *Mizbayach*), burn the daily incense and prepare the *Menorah*. (The confinement of the *Kohain Gadol* for the week is derived from a *Passuk* in the chapter that describes the *Milu'im*,) as it is written in the Torah, "As was done on this day, Hashem commanded you to do (on *Yom Kippur*) to atone for you." The wise ones, elders of the court, joined him. (Each day,) they said to him, "Please recite (the service of *Yom Kippur* as described in the Torah)."

The Day before *Yom Kippur*

נֹגַהּ תְּשִׁיעִי יַעֲמִידוּהוּ בְּשַׁעַר קָדִים. נוֹי זִבְחֵי יוֹם לְפָנָיו יַעֲבִירוּ: סֶמֶךְ בִּיאַת שֶׁמֶשׁ צֵידוֹ יַמְעִיטוּ. סַאַב לִבֶּן פֶּן בְּרֶדֶם יִקְרֵהוּ. סָבֵי שִׁבְטוֹ לְלַמֵּד חֵפֶן

On the morning of the ninth (day of *Tishrei*,) they stood (thc *Kohain Gadol*) at the eastern gate (of the *Bais Hamikdash*). They passed before him the fine (animals) that would be used for the sacrifices of that day (of *Yom Kippur*). As sundown approached, they limited his meal, so that he would not by chance become *tamay* while asleep (because of excess food). The elders of his tribe would bring him to (a place where they

יוֹלִיכוּהוּ. סַמִּים לְתַמֵּר בִּפְנִים אוֹתוֹ יַשְׁבִּיעוּ. סָמַר בְּשָׂרוֹ וְהִדְמִיעַ כִּי נֶחֱשַׁד. סָרוּ גַּם הֵם וּבֶכֶה הִגִּירוּ:

would) teach him to fill his hands with incense. They would foreswear him to burn the incense only when he was already within (the *Kodesh Hakodoshim*). His flesh became tense, and he cried because he was suspected (of being a *Tziduki*, one who is unfaithful to the Oral Torah). They (the elders) also turned aside and shed tears (because they feared they had unjustly suspected him).

The Eve of *Yom Kippur*

שִׂיחַ מִדְרָשׁ בְּפֶה וּבִכְתַב הִגָּיוֹן. סְבִיבָיו יְשַׁנְנוּ לְעוֹרְרוֹ עַד חֲצוֹת: עָלְצוּ תְּרוֹם דֶּשֶׁן בְּפַיִס רִאשׁוֹן. עוֹד יָפִיסוּ לְדִשּׁוּן פְּנִימִי וּמְנוֹרָה. עֵקֶב קְטוֹרֶת פַּיִס חֲדָשִׁים יְשַׁלֵּשׁוּ. עֲרוֹךְ נְתָחִים יַחַד פַּיִס הָרְבִיעִי:

(He stayed awake by presenting or listening to) a discussion of laws of the Oral Torah and by reading or listening to (portions from) the written *Tanach*. (The *Kohanim*) surrounded him studying, keeping him awake until midnight (when they made the lottery). (The *Kohanim*) rejoiced (when the *Kohain* selected) by the first lottery lifted the ashes (from the outer *Mizbayach*). Again, they chose by lot who would remove the ashes from the inner *Mizbayach*) and *Menorah*. (A *Kohain* was selected) for the purpose of (bringing the coals for the daily) incense by a third lottery among new (*Kohanim* who had not previously done this service). The fourth lottery decided who would (give the *Kohain Gadol*) the pieces of the *Korban* to assemble (on the *Mizbayach*).

Daily Service In Gold Garments

See page 27.

עָלָה בְּרַק הַשַּׁחַר כְּנָם הַצּוֹפֶה. עָלָיו פֵּרְשׂוּ מָסָךְ בּוּץ לְהַצְנִיעַ. עֵירָה סוּתוֹ טָבַל וְעָט זְהָבִים. עָמַד וְקִדֵּשׁ וְקֵרַץ תְּמִיד הַשַּׁחַר: פָּקַד לְמָרְקוֹ וְהוּא קִבֵּל וְזָרַק. פֵּרַשׁ הִקְטִיר וְהֵטִיב הִקְרִיב וְנִסֵּךְ. פְּעֻלַּת כָּלִיל הִשְׁלִים וְעָשׂ כַּסֵּדֶר:

When the one who was watching proclaimed that the rays of dawn had arisen, they spread a linen partition next to the *Kohain Gadol* for privacy. He removed his clothes, immersed himself (in the *Mikveh*) and put on the golden garments. He stood up and washed (his hands and feet), and he cut (most of the windpipe and foodpipe of) the morning *Tamid* (lamb). He appointed (another *Kohain*) to complete (the slaughtering) while he received the blood (in a vessel) and sprinkled it (on the *Mizbayach* wall). He separated himself (from the other *Kohanim*) and burned the daily incense. Then he prepared the *Menorah* lights, burned the limbs of the *Tamid* and its accompanying *Minchah* and poured the wine on the *Mizbayach*. He completed the procedure of the burnt offering, doing it in proper order.

Second Immersion

See page 28.

פָּרְשׂוּ סָדִין לָבָן עוֹד כְּבָרִאשׁוֹנָה. פַּרְוָה בַּקּוֹדֶשׁ שָׁם קִדֵּשׁ וּפָשַׁט. פָּסַע וְטָבַל לְבָנִים עָט

They again spread out a white sheet as a partition, just as they had done for the first immersion. (On the second floor of) the *Parvah*, within the holy area (of the *Bais Hamikdash*) he washed (his hands and feet) and removed the golden garments.

וְקֹדֶשׁ. פְּלוּסִים עֶרְכָּם מָנִים
שְׁמוֹנָה עָשָׂר. פְּאוּרִים לְשָׁרֶת בָּם
לְמֶלֶךְ הַכָּבוֹד:

He stepped (into the *Mikveh*) and immersed himself, put on white garments and washed (his hands and feet). (The white garments came from the land) of Pilus (in Egypt). Their value was eighteen *moneh*, beautiful attire with which to serve the honorable King.

First Confession

See page 30.

פָּרוֹ מֻצָּב בֵּין אוּלָם לַמִּזְבֵּחַ.
פָּנָיו יָמָּה וְרֹאשׁוֹ נֶגְבָּה מְעֻקָּם.
פָּגַשׁ וְסָמַךְ יָדוֹ (יָדָיו) עַל רֹאשׁוֹ.
פְּשָׁעָיו הוֹדָה וּבְחֻבּוֹ לֹא טָמָן:
וְכָךְ הָיָה אוֹמֵר. אָנָּא הַשֵּׁם.
חָטָאתִי. עָוִיתִי. פָּשַׁעְתִּי לְפָנֶיךָ.
אֲנִי וּבֵיתִי: אָנָּא בַּשֵּׁם. כַּפֶּר נָא
לַחֲטָאִים. וְלַעֲוֹנוֹת. וְלַפְּשָׁעִים.
שֶׁחָטָאתִי. וְשֶׁעָוִיתִי. וְשֶׁפָּשַׁעְתִּי
לְפָנֶיךָ אֲנִי וּבֵיתִי. כַּכָּתוּב בְּתוֹרַת
מֹשֶׁה עַבְדֶּךָ מִפִּי כְבוֹדֶךָ. כִּי בַיּוֹם
הַזֶּה יְכַפֵּר עֲלֵיכֶם לְטַהֵר אֶתְכֶם
מִכֹּל חַטֹּאתֵיכֶם לִפְנֵי ה':
וְהַכֹּהֲנִים וְהָעָם הָעוֹמְדִים

His bull stood between the *Ulam* and the *Mizbayach*, its face turned toward the west, its head at the south. (The *Kohain Gadol*) approached and leaned with his hands on (the bull's) head. He confessed his sins, concealing nothing within him.

And he would say thus: "Please, Hashem, I have sinned before You, (at times) unintentionally, (at times) intentionally, (and at times even) rebelliously, I and my household. Please, with (Your merciful) Name, forgive the unintentional, intentional and rebellious sins which I have sinned before You unintentionally, intentionally and rebelliously, I and my household, as it is written in the Torah of Moshe your servant, recorded from Your holy mouth, 'For on this day He will forgive you to purify you. From all that you have sinned before Hashem . . .' "

When the *Kohanim* and the people who were standing in the

בָּעֲזָרָה. כְּשֶׁהָיוּ שׁוֹמְעִים אֶת הַשֵּׁם הַנִּכְבָּד וְהַנּוֹרָא מְפוֹרָשׁ יוֹצֵא מִפִּי כֹּהֵן גָּדוֹל בִּקְדֻשָּׁה וּבְטָהֳרָה. הָיוּ כּוֹרְעִים וּמִשְׁתַּחֲוִים וּמוֹדִים וְנוֹפְלִים עַל פְּנֵיהֶם. וְאוֹמְרִים בָּרוּךְ שֵׁם כְּבוֹד מַלְכוּתוֹ לְעוֹלָם וָעֶד:

וְאַף הוּא הָיָה מִתְכַּוֵּן לִגְמוֹר אֶת הַשֵּׁם כְּנֶגֶד הַמְבָרְכִים וְאוֹמֵר לָהֶם תִּטְהָרוּ:

וְאַתָּה בְּטוּבְךָ הַגָּדוֹל מְעוֹרֵר רַחֲמֶיךָ וְסוֹלֵחַ לְאִישׁ חֲסִידֶךָ:

Azarah heard the honored, awesome Name explicitly uttered by the *Kohain Gadol* with holiness and purity, they would bow, prostrate themselves, give thanks, fall on their faces and say, "Blessed is the Name of the Honor of His Kingdom forever and ever."

The *Kohain Gadol* coordinated saying the Name to conclude together with those who were blessing it. (He then would finish the *Passuk* by) saying to them, "You shall become pure."

And You, with Your abundant goodness, (would) arouse Your mercy and forgive Your righteous person (the *Kohain Gadol*).

Lottery of Goats

See page 32.

צָעַד לֵילֵךְ לוֹ לְמִזְרַח עֲזָרָה. צָמֵד שְׂעִירִים שָׁם מֵהוֹן עֵדָה. צְמוּדִים אֲחוּיִם שָׁוִים בְּתֹאַר וּבְקוֹמָה. צָגִים לְכַפֵּר עֲוֹן בַּת הַשּׁוֹבֵבָה.

צָהוֹב חֲלָשִׁים טָרַף וְהֶעֱלָה מִקַּלְפִּי. צָנַח וְהִגְרִיל לַשֵּׁם גְּבוֹהַּ

He walked to the east of the *Azarah* where there were two goats owned by the congregation. They were paired, identical, equal in appearance and height, standing to atone for the sin of the rebellious daughter (Yisrael).

He mixed golden lots and lifted them from a box. He bent over, placing the lots (on the respective goats), (one to be offered as a *Korban*) to the One above, (the other to be thrown down) the cliff. (Placing the lot on the one which was to be a *Korban*,) he cried out in a loud

וְלַצּוּק. צָעַק בְּקוֹל רָם לַה' חַטָּאת.

צוֹתְתָיו עָנוּ לוֹ וּבֵרְכוּ אֶת הַשֵּׁם.

צֶבַע זְהוֹרִית קָשַׁר בְּרֹאשׁ הַמִּשְׁתַּלֵּחַ. צִגְּתוֹ אֵמֶן נֶגֶד בֵּית שִׁלּוּחַ:

voice, "For Hashem, a sin offering."

Those who heard him responded (to his mentioning Hashem) by blessing the Name (saying, "Blessed is the Name of the Honor of His Kingdom forever and ever.")

He tied a scarlet woolen band on (the horns of the) head of the goat that was to be sent (to the desert). He positioned it directly opposite the door through which it was to be sent.

Confession for the *Kohanim* and Slaughtering of the Bull

See pages 34-36.

צָלַח וּבָא אֵצֶל פָּרוֹ שֵׁנִית. צַחַן (צַחֲנָתוֹ וְשֶׁל) מַטֵּהוּ פְּנֵי צוּר הִתְוַדָּה:

וְכַךְ הָיָה אוֹמֵר. אָנָּא הַשֵּׁם. חָטָאתִי. עָוִיתִי. פָּשַׁעְתִּי לְפָנֶיךָ. אֲנִי וּבֵיתִי וּבְנֵי אַהֲרֹן עַם קְדוֹשֶׁךָ: אָנָּא בַשֵּׁם. כַּפֶּר נָא לַחֲטָאִים. וְלַעֲוֹנוֹת. וְלַפְּשָׁעִים. שֶׁחָטָאתִי. וְשֶׁעָוִיתִי. וְשֶׁפָּשַׁעְתִּי לְפָנֶיךָ אֲנִי וּבֵיתִי וּבְנֵי אַהֲרֹן עַם קְדוֹשֶׁךָ. כַּכָּתוּב בְּתוֹרַת מֹשֶׁה עַבְדֶּךָ מִפִּי

He passed (from the east gate where the goats were standing) and came to his bull (which was next to the *Mizbayach*) a second time. The sins of his tribe he confessed before Hashem.

And he would say thus: "Please, Hashem, I have sinned before You, (at times) unintentionally, (at times) intentionally, (and at times even) rebelliously, I and my household, and the sons of Aharon, Your holy nation. Please, with (Your merciful) Name, forgive the unintentional, intentional and rebellious sins which I have sinned before You unintentionally, intentionally and rebelliously, I and my household, and the sons of Aharon, Your holy nation, as it is written in the Torah of Moshe your servant, recorded from Your holy

כְּבוֹדֶךָ. כִּי בַיּוֹם הַזֶּה יְכַפֵּר עֲלֵיכֶם לְטַהֵר אֶתְכֶם מִכֹּל חַטֹּאתֵיכֶם לִפְנֵי ה׳:

mouth, 'For on this day He will forgive you to purify you. From all that you have sinned before Hashem . . .' "

וְהַכֹּהֲנִים וְהָעָם הָעוֹמְדִים בָּעֲזָרָה. כְּשֶׁהָיוּ שׁוֹמְעִים אֶת הַשֵּׁם הַנִּכְבָּד וְהַנּוֹרָא מְפוֹרָשׁ יוֹצֵא מִפִּי כֹהֵן גָּדוֹל בִּקְדֻשָּׁה וּבְטָהֳרָה. הָיוּ כּוֹרְעִים וּמִשְׁתַּחֲוִים וּמוֹדִים וְנוֹפְלִים עַל פְּנֵיהֶם. וְאוֹמְרִים בָּרוּךְ שֵׁם כְּבוֹד מַלְכוּתוֹ לְעוֹלָם וָעֶד.

When the *Kohanim* and the people who were standing in the *Azarah* heard the honored, awesome Name explicitly uttered by the *Kohain Gadol* with holiness and purity, they would bow, prostrate themselves, give thanks, fall on their faces and say, "Blessed is the Name of the Honor of His Kingdom forever and ever."

וְאַף הוּא הָיָה מִתְכַּוֵּן לִגְמוֹר אֶת הַשֵּׁם כְּנֶגֶד הַמְבָרְכִים וְאוֹמֵר לָהֶם תִּטְהָרוּ:

The *Kohain Gadol* coordinated saying the Name to conclude together with those who were blessing it. (He then would finish the *Passuk* by) saying to them, "You shall become pure."

וְאַתָּה בְּטוּבְךָ הַגָּדוֹל מְעוֹרֵר רַחֲמֶיךָ וְסוֹלֵחַ לְשֵׁבֶט מְשָׁרְתֶךָ:

And You, with Your abundant goodness, (would) arouse Your mercy and forgive the tribe which serves You.

קָח מַאֲכֶלֶת חַדָּה וּשְׁחָטוֹ כַּסֵּדֶר. קִבֵּל דָּם בְּמִזְרָק וּנְתָנוֹ לַמְמָרֵס. קְרִישָׁתוֹ יָמֵס עַד עֵת הַזָּיָה. קָפוּי פֶּן יְהִי וְתוּעֲדַר סְלִיחָה:

He took a sharp knife and slaughtered (the bull) in the proper way. He received the blood in a bowl and gave it to (another *Kohain*) who stirred it. (The stirrer) kept it from congealing until the time came to sprinkle it, lest it harden and atonement be prevented.

Burning of the *Ketores*

See pages 38-44.

קוֹחַ לוֹחֲשׁוֹת חַת בְּמַחְתַּת פַּרְוַיִם. קַלָּה וְגֶלֶד רַךְ וַאֲרוּכַּת יָד.

To take embers (from the outer *Mizbayach*), he shoveled with a reddish gold shovel. (The shovel was) light, (made of) a delicate sheet (of gold), with a long handle. He dug, getting three *kav* measures of embers (into the shovel). (He put the shovel down and) they brought him a spoon-shaped vessel and a (shovel) heaped with fine (incense). He cupped his hands, filled them and emptied them into the spoon-shaped vessel. He grasped the shovel (of coals) in his right hand and the spoon-shaped vessel in his left. His footsteps sounded (as he walked) to (and through) the *Paroches* and approached (the place where, in the first *Bais Hamikdash*, had been) the poles (of the *Aron*.) He put the incense (on the shovel) of embers which he had placed between (the former positions of) the poles. It gave out smoke, and he departed.

קָדַר לְתוֹכָהּ שְׁלֹשֶׁת קַבִּין גֶּחָלִים. קֵרְבוּ לוֹ בָּזָךְ גְּדוּשַׁת (וּגְדוּשַׁת) דַּקָּה. קָלַט וְחָפַן וְהֵרִיק לְתוֹךְ בָּזָךְ. קָפַץ מַחְתָּה בְּיָמִין וּבָזָךְ בִּשְׂמֹאל. קִישׁ צְעָדָיו לְפָרֹכוֹת וְקֵרַב לַבַּדִּים. קְטֹרֶת שָׂם בֵּינֵימוֹ וְעָשַׁן וְיָצָא:

First Sprinkling of the Bull's Blood

See pages 46-48.

He took the blood from the young *Kohain* who was stirring it. He immediately entered (the *Kodesh Hakodoshim*) and stood between (the former positions of the poles, which had protruded into the *Paroches*). (To evoke Hashem's) goodwill (by means) of sprinkling (the blood), he dipped his finger (into the blood) and then struck (the blood against the floor) while counting. (He sprinkled on the floor with his finger) at the height (of the *Kapores* of the

רוֹבֶה מְמָרֵס מֶנּוּ נָטַל דָּם. רָצַף וְנִכְנַס וְקָם בֵּין שְׁדַּיִם: רְצוּי הַזָּיוֹת טָבַל וְהִצְלִיף בְּמִנְיָן. רוּם

מַעְלָה אַחַת וּמַטָּה שֶׁבַע: וְכַךְ הָיָה מוֹנֶה.

אַחַת. אַחַת וְאַחַת. אַחַת וּשְׁתַּיִם. אַחַת וְשָׁלֹשׁ. אַחַת וְאַרְבַּע. אַחַת וְחָמֵשׁ. אַחַת וָשֵׁשׁ. אַחַת וָשֶׁבַע:

Aron), once upward and seven times downward. And he counted thus:

"One (upward). One (upward) and one (downward). One (upward) and two (downward). One (upward) and three (downward). One (upward) and four (downward). One (upward) and five (downward). One (upward) and six (downward). One (upward) and seven (downward)."

He ran (out of the ***Kodesh Hakodoshim***) and put (the bowl with the blood of the bull) on a stand.

Slaughtering of the Goat and Sprinkling of Its Blood

See pages 50-52.

רָץ וְהִנִּיחוֹ וְשָׁחַט שָׂעִיר. רָצָה וְקִבֵּל דָּמוֹ בְּאַגַּן קֹדֶשׁ: רִגֵּל וְעָמַד מְקוֹם וָעוֹד אָרוֹן. רִצָּה הַזָּיוֹת כְּמַעֲשֵׂה דַּם פָּר: וְכַךְ הָיָה מוֹנֶה.

אַחַת. אַחַת וְאַחַת. אַחַת וּשְׁתַּיִם. אַחַת וְשָׁלֹשׁ. אַחַת וְאַרְבַּע. אַחַת וְחָמֵשׁ. אַחַת וָשֵׁשׁ. אַחַת וָשֶׁבַע.

He slaughtered the goat (which the lot had designated for Hashem) and quickly received its blood in a holy vessel. He walked over and stood in the place designated for the *Aron*. He evoked (Hashem's) goodwill by sprinkling in the same manner done to the bull's blood. And he counted thus:

"One (upward). One (upward) and one (downward). One (upward) and two (downward). One (upward) and three (downward). One (upward) and four (downward). One (upward) and five (downward). One (upward) and six (downward). One (upward) and seven (downward)."

He hurried (out of the *Kodesh Hakodoshim*) and put down (the bowl with the goat's blood on a stand) and took the blood of the bull.

רָהַט וְהִנִּיחוֹ וְדַם פַּר נָטַל.

Second Sprinkling of Bull's Blood

See page 54.

He ran until he stood just outside the dividing (*Paroches*). He sprinkled (in front of) the embroidered *Paroches*, following the same prescription as (for sprinkling in front of) the *Kapores*.

רַגְלָיו הֵרִיץ וְצָג חוּץ לְבוֹדֶלֶת.
רִקְמֵי פָּרֹכֶת יַז כְּמִשְׁפַּט כַּפֹּרֶת.

Second Sprinkling of Goat's Blood

See page 54.

Inspired, he repeated sprinkling the blood of the goat (in front of the *Paroches*).

רָגַשׁ וְשָׁנָה וְהִזָּה מִדַּם שָׂעִיר:

Mixing of the Blood and Its Sprinkling

See pages 56-60.

He returned (to the stand) and mixed (the blood of the bull and goat). He purified the *Mizbayach* of refined (gold by sprinkling the blood) seven times on its clear surface (after applying the blood) four times to its corners.

שָׁב וּבְלָלָם וְחִטֵּא מִזְבַּח סָגוּר. שֶׁבַע עַל טָהֳרוֹ וּבְקַרְנָיו אַרְבַּע:

Confession on Goat and Sending It to the Desert

See pages 62-64.

He hastened to come near the live goat. The unintentional and intentional (sins of the people) he confessed to Hashem.

And he would say thus:

שָׁקַד וּבָא אֵצֶל שְׂעִיר הֶחָי.
שִׁגְיוֹן עָם וּזְדוֹנוֹ יוֹדֶה לָקֵל:
וְכָךְ הָיָה אוֹמֵר. אָנָּא הַשֵּׁם.

"Please, Hashem, Your nation the House of Yisrael has sinned before You, (at times) unintentionally, (at times) intentionally, (and at times even) rebelliously, I and my household. Please, with (Your merciful) Name, forgive the unintentional, intentional and rebellious sins which Your nation the House of Yisrael has sinned before You unintentionally, intentionally and rebelliously, as it is written in the Torah of Moshe your servant, recorded from Your holy mouth, 'For on this day He will forgive you to purify you. From all that you have sinned before Hashem . . .' "

When the *Kohanim* and the people who were standing in the *Azarah* heard the honored, awesome Name explicitly uttered by the *Kohain Gadol* with holiness and purity, they would bow, prostrate themselves, give thanks, fall on their faces and say, "Blessed is the Name of the Honor of His Kingdom forever and ever."

The *Kohain Gadol* coordinated saying the Name to conclude together with those who were blessing it. (He then would finish the *Passuk* by) saying to them, "You shall become pure."

And You, with Your abundant goodness, (would) arouse Your mercy and forgive the Congregation of Yisrael.

He sent (this goat) along with a person who had been

חָטְאוּ. עָווּ. פָּשְׁעוּ לְפָנֶיךָ. עַמְּךָ בֵּית יִשְׂרָאֵל: אָנָּא בַּשֵּׁם. כַּפֶּר נָא לַחֲטָאִים. וְלַעֲוֹנוֹת. וְלַפְּשָׁעִים. שֶׁחָטְאוּ. וְשֶׁעָווּ. וְשֶׁפָּשְׁעוּ לְפָנֶיךָ עַמְּךָ בֵּית יִשְׂרָאֵל. כַּכָּתוּב בְּתוֹרַת מֹשֶׁה עַבְדֶּךָ מִפִּי כְבוֹדֶךָ. כִּי בַיּוֹם הַזֶּה יְכַפֵּר עֲלֵיכֶם לְטַהֵר אֶתְכֶם מִכֹּל חַטֹּאתֵיכֶם לִפְנֵי ה':

וְהַכֹּהֲנִים וְהָעָם הָעוֹמְדִים בָּעֲזָרָה. כְּשֶׁהָיוּ שׁוֹמְעִים אֶת הַשֵּׁם הַנִּכְבָּד וְהַנּוֹרָא מְפוֹרָשׁ יוֹצֵא מִפִּי כֹּהֵן גָּדוֹל בִּקְדֻשָּׁה וּבְטָהֳרָה. הָיוּ כּוֹרְעִים וּמִשְׁתַּחֲוִים וּמוֹדִים וְנוֹפְלִים עַל פְּנֵיהֶם. וְאוֹמְרִים בָּרוּךְ שֵׁם כְּבוֹד מַלְכוּתוֹ לְעוֹלָם וָעֶד:

וְאַף הוּא הָיָה מִתְכַּוֵּן לִגְמוֹר אֶת הַשֵּׁם כְּנֶגֶד הַמְבָרְכִים וְאוֹמֵר לָהֶם תִּטְהָרוּ:

וְאַתָּה בְּטוּבְךָ הַגָּדוֹל מְעוֹרֵר רַחֲמֶיךָ וְסוֹלֵחַ לַעֲדַת יְשֻׁרוּן.

שִׁגְּרוֹ בְּיַד אִישׁ עִתִּי לַמִּדְבָּר

עָז. שֶׁמֶץ כִּתְמֵי זוּ שְׂאֵת לִגְזֵרָה.
שֵׁן סֶלַע הֲדָפוֹ וְגִלְגֵּל וְיָרַד. שֻׁבְּרוּ
עֲצָמָיו כְּנֶפֶץ כְּלִי יוֹצֵר:

prepared (for the task) to the fierce desert, to carry the stains (sins) of this (nation) to the wilderness. (That person) pushed it off a sharp cliff, and it rolled down. It broke its bones as a potter's vessel shatters.

Sending of the Bull and Goat to be Burned and Reading the Torah

See pages 66-68.

שְׁחוּזָה אָחַז פָּר וְשָׂעִיר קָרַע.
שָׁלַף אֵמוּרִים וּגְוִיּוֹת קָלַע לִשְׂרוֹף.
שָׁאַג סִדְרֵי יוֹם.

(The *Kohain Gadol*) held a sharp knife. He tore open the bull and goat. He removed the parts that were to be burned on the *Mizbayach*, and he intertwined the bodies, to be burned (by others outside the city). He then read aloud (from the Torah) the order of the day.

Third Immersion—Offering of *Korbanos*

See pages 70-74.

קִדֵּשׁ וּפָשַׁט. שִׁלֵּשׁ וְטָבַל
פַּזִּים עָט וְקִדֵּשׁ: תָּכַף וְעָשׂ אֵילוֹ
וְאֵיל עָם. תְּרַב חַטָּאת (חַטָּאוֹת)
וּמוּסָפִין הִקְרִיב כְּחוֹק.

He washed (his hands and feet), removed the (white linen) garments, immersed himself a third time, dressed in the golden garments and washed (again). Immediately, he offered his ram and a ram of the people (as *Olah* offerings). The fat (and the other parts previously removed from the bull and goat, which were) sin offerings, and the *Mussaf* offerings, he offered according to the law.

Fourth Immersion—Removal of Vessels

See pages 76-78.

תָּר וְקִדֵּשׁ פָּשַׁט טָבַל וְקִדֵּשׁ.

He passed to wash (his hands and feet). He removed the

תַּכְרִיךְ בַּדִּים עָט וְנִכְנַס לִדְבִיר.
תְּכוּנַת כְּלֵי קְטֹרֶת הוֹצִיא . . .

(golden) garments, immersed himself in the *Mikveh* and washed again. He put on the linen garments and went into the *Kodesh Hakodoshim*. He removed the (beautifully) formed vessels, (the spoon and shovel which he had used) for the *Ketores* . . .

Fifth Immersion—Completion of *Avodah*

See pages 80-82.

. . . וְקִדֵּשׁ. תִּלְבּוֹשֶׁת מַדָּיו
הִפְשִׁיט וְגָנַז נֶצַח: תִּרְגֵּל וְטָבַל
חֲרוּצִים עָט וְקִדֵּשׁ. תָּמִיד הִסְדִּיר
וְתִמֵּר וְנֵרוֹת הֶעֱלָה. תֶּכֶל עֲבוֹדוֹת
יָד וְרֶגֶל קִדֵּשׁ. תִּמֵּם טְבִילוֹת חָמֵשׁ
וְקִדּוּשִׁים עֲשָׂרָה.

. . . and he washed (his hands and feet). He removed his (linen) garments and put them away forever. He followed the routine of immersing himself (in the *Mikveh*), put on the golden garments and washed his hands and feet. He brought the daily (afternoon *Tamid*), offering it in its order, caused the smoke to rise (from the daily afternoon *Ketores* by burning it) and lit the *Menorah* lights. The *Avodah* complete, he washed his hands and feet, thus completing a total of five immersions and ten washings.

תֹּאַר מְגַמָּתוֹ כְּצֵאת הַשֶּׁמֶשׁ בִּגְבוּרָה. תָּקַף וְדָץ וְעָטָה בִּגְדֵי הוֹנוֹ. תַּמָּה
תְּלַוֶּה צִיר נֶאֱמָן לַבַּיִת. תָּגֵל בְּהִתְבַּשֵּׂר הָשְׁלַג אֹדֶם תּוֹלָע. תַּעְדֶּה יֶשַׁע תַּעֲטֶה
מְעִיל צְדָקָה. תָּפִיק צָהֳלָה תַּבִּיעַ דִּיץ וְחֶדְוָה. תְּלוּלֵי רוּם הִרְעִיפוּ זַרְזִיף
טַלָּם. תַּלְמֵי שָׂדַי רָווּ תֵּת יְבוּלָם. תּוֹדָה נָתְנוּ אוֹסְפֵי זֶרַע שָׁלוֹם. תְּהִלָּה

בִּשְּׂרוּ נוֹשְׂאֵי אֲלֻמּוֹת בְּרֶנֶן. תַּחְתִּיּוֹת אֶרֶץ צְבִי זֶמֶר שָׁמֵעוּ. תִּנּוּ צִדְקוֹתָיו חֲצַץ הוֹלְכֵי נְתִיבוֹת. תִּקְוַת שׁוֹלְחָיו אֵמוּן לֹא אַכְזָב. תּוֹחַלְתָּם כְּצִנַּת שֶׁלֶג בְּיוֹם קָצִיר:

מְצוֹאָתָם רָחֲצוּ מִטֶּנֶף צַחֲנָתָם זַכּוּ. שְׁלֵמִים תְּמִימִים בְּבוֹר כַּפֵּימוֹ זֵכְזָכוּ. לְהַגִּיד כִּי מְטַהֲרָם מְקוֹר מַיִם חַיִּים. מִקְוֵה יִשְׂרָאֵל מְנַקָּם מַיִם נֶאֱמָנוּ: בְּטוֹהַר וּבְנִקָּיוֹן יִנָּקוּ וְיִטְהָרוּ. יִתְחַדְּשׁוּ כַּחֲדָשֵׁי בְקָרִים מִכֶּתֶם יִצְחֲצָחוּ. רוֹמְמוֹת אֵ-ל יֶהְגּוּ בִגְרוֹנָם. בִּלְשׁוֹנָם רוֹן בְּפִימוֹ שִׁיר חָדָשׁ: יָגִילוּ בְרַעַד יַעַבְדוּ בְיִרְאָה. קָדוֹשׁ יִשְׂרָאֵל מְקַדֵּשׁ קְדוֹשִׁים. לְשַׁנֵּן לְרַנֵּן לְתוֹפֵף וּלְצַלְצֵל. וּלְנַצֵּחַ בִּנְגִינוֹת וּלְהַנְעִים זֶמֶר. נֶחֱבָקִים בְּעוֹז יְמִין רוֹמֵמָה. יַחַד נִתְמָכִים בִּמְלֵאָה צֶדֶק. מְשׁוֹכִים לָבֹא שְׁעָרָיו בִּרְנָנָה. וְשָׂשׂוֹן וְשִׂמְחָה יַשִּׂיגוּ נֶצַח: שָׂשִׂים וְגָלִים בִּשְׁמוֹ כָּל הַיּוֹם. חָדִים בְּשִׂמְחָה אֶת פָּנָיו: זִיו אוֹרָם כַּשַּׁחַר יִבָּקַע. קוֹלָם יִשְׂאוּ וִירַנְּנוּ בִּגְאוֹן צוּר עוֹלָמִים: אַשְׁרֵי הָעָם שֶׁכָּכָה לּוֹ. אַשְׁרֵי הָעָם שֶׁה' אֱ-לֹהָיו:

The following is a description of the *Avodah* as it appears in the *Nusach Sfard* version of the *Mussaf* prayer of *Yom Kippur*. Once again, only those parts that relate directly to the *Avodah* itself have been presented in translation.

אַתָּה כּוֹנַנְתָּ עוֹלָם מֵרֹאשׁ. יָסַדְתָּ תֵּבֵל וְהַכֹּל פָּעַלְתָּ וּבְרִיּוֹת בּוֹ יָצַרְתָּ: בְּשׁוּרְךָ עוֹלָם תֹּהוּ וָבֹהוּ וְחֹשֶׁךְ עַל פְּנֵי תְהוֹם. גֵּרַשְׁתָּ אוֹפֶל וְהִצַּבְתָּ נוֹגַהּ. גּוֹלֶם תַּבְנִיתְךָ מִן הָאֲדָמָה יָצַרְתָּ. וְעַל עֵץ הַדַּעַת אוֹתוֹ פָּקַדְתָּ דְּבָרְךָ זָנַח וְנִזְנַח מֵעֵדֶן וְלֹא כִלִּיתוֹ לְמַעַן אֶרֶךְ אַפֶּךָ. הִגְדַּלְתָּ פִּרְיוֹ וּבֵרַכְתָּ זַרְעוֹ וְהִפְרִיתָם בְּטוּבְךָ וְהוֹשַׁבְתָּם שָׁקֶט: וַיִּפְרְקוּ עוֹל וַיֹּאמְרוּ לָקֵל סוּר מִמֶּנּוּ וַהֲסִירוֹתָ יַד כְּרֶגַע כְּחָצִיר אוּמְלָלוּ: זָכַרְתָּ בְּרִית לְתָמִים בְּדוֹרוֹ וּבִזְכוּתוֹ שַׂמְתָּ לְעוֹלָם שְׁאֵרִית. חוֹק בְּרִית קֶשֶׁת לְמַעֲנוֹ כָּרַתָּ וּבְאַהֲבַת נִיחוֹחוֹ בָּנָיו בֵּרַכְתָּ: טָעוּ בְּעָשְׁרָם וַיִּבְנוּ מִגְדָּל וַיֹּאמְרוּ לְכוּ וְנַעֲלֶה וְנִבְקַע הָרָקִיעַ לְהִלָּחֵם בּוֹ. יָחִיד אַב הֲמוֹן פִּתְאוֹם כְּכוֹכָב זָרַח מֵאוּר כַּשְׂדִּים לְהָאִיר בַּחוֹשֶׁךְ. כַּעַסְךָ הֵפַרְתָּ בְּשׁוּרְךָ פָּעֳלוֹ וּלְעֵת שֵׂיבָתוֹ לְבָבוֹ חָקַרְתָּ: לִוְיַת חֵן מִמֶּנּוּ הוֹצֵאתָ טְלֶה טָהוֹר מִכֶּבֶשׂ נִבְחָר: מִגִּזְעוֹ אִישׁ תָּם הוֹצֵאתָ חָתוּם בִּבְרִיתֶךָ מֵרֶחֶם לוּקָּח: נָתַתָּ לוֹ שְׁנֵים עָשָׂר שְׁבָטִים אֲהוּבֵי עֶלְיוֹן עֲמוּסִים מִבֶּטֶן נִקְרָאוּ: שַׂמְתָּ עַל לֵוִי לִוְיַת חֵן וָחֶסֶד וּמִכָּל אֶחָיו כֶּתֶר לוֹ עִטַּרְתָּ: עַמְרָם נִבְחַר מִזֶּרַע לֵוִי אַהֲרֹן קְדוֹשׁ ה׳ לְשָׁרְתֶךָ קִדַּשְׁתָּ: פֵּאַרְתּוֹ בְּבִגְדֵי שְׂרָד וּבְקָרְבְּנוֹתָיו הֵפֵר כַּעַסְךָ: צִיץ וּמְעִיל חֹשֶׁן וְאֵפוֹד כְּתוֹנֶת וּמִכְנְסֵי בַד מִצְנֶפֶת וְאַבְנֵט: קָרְבָּנוֹת פָּרִים וְעוֹלוֹת כְּבָשִׂים וּשְׁחִיטַת שְׂעִירִים וְנִיתּוּחַ אֵלִים: רֵיחַ קְטוֹרֶת רוֹקַח מִרְקַחַת וּבִיעוּר גֶּחָלִים וּזְרִיקַת דַּם וּסְפִירַת יוֹשֶׁר. שׁוֹעַת קְטוֹרֶת וּתְפִלַּת אֱמֶת וּקְדוּשָּׁתוֹ מְכַפֵּר עֲוֹנוֹתֵינוּ. תּוֹכֶן בּוּץ וַעֲרִיכַת אֶבֶן מְחוּגָּר בְּכוּלָּם כְּמַלְאָךְ מִיכָאֵל מְשָׁרֵת:

Preparation of the *Kohain Gadol*

You arranged all this for the honor of Aharon. A vessel of forgiveness you made him for Yisrael, and through him you granted the forgiveness of sin. (After his passing), his offspring would take Aharon's place, to serve before you on the day of forgiveness. Practical application and

תִּכַּנְתָּ כָּל אֵלֶּה לִכְבוֹד אַהֲרֹן. כְּלִי כַפָּרָה לְיִשְׂרָאֵל שַׂמְתּוֹ. וְעַל יָדוֹ סְלִיחַת הֶעָוֹן נָתַתָּ. תַּחַת אַהֲרֹן מִגִּזְעוֹ יַעֲמוֹד. לְשָׁרֵת לְפָנֶיךָ בְּיוֹם הַסְּלִיחָה. תּוֹרַת מַעֲשֵׂה

נַעֲבוֹדַת הַיּוֹם שִׁבְעַת יָמִים
בִּזְבוּלֵנוּ יִלְמוֹד. וּמַזִּין עָלָיו
שְׁלִישִׁי וּשְׁבִיעִי. שְׁלוּמֵי זְקֵנֵי עַם
וְחַכְמֵי אֶחָיו הַכֹּהֲנִים תָּמִיד
יְסוֹבְבוּהוּ. עַד בּוֹא יוֹם הֶעָשׂוֹר:

the *Avodah* of the day (of *Yom Kippur*), the *Kohain Gadol* would learn for seven days in our sanctuary. They sprinkled (the waters of the *Parah Adumah*) on him on the third and the seventh day. The elders of the *Sanhedrin* and the wise men among his fellow *Kohanim* were constantly around him, until the arrival of the tenth day (of *Tishrei*).

Erev Yom Kippur

וְעֶרֶב יוֹם הַכִּפּוּרִים שַׁחֲרִית
מַשְׁבִּיעִין אוֹתוֹ בְּמִי שֶׁשִּׁכֵּן שְׁמוֹ
בַּבַּיִת הַזֶּה. שֶׁלֹּא יְשַׁנֶּה מִכָּל מַה
שֶּׁאָמְרוּ לוֹ. שֶׁמָּא יֵשׁ בְּלִבּוֹ צַד
מִינוּת. הוּא פּוֹרֵשׁ וּבוֹכֶה עַל
שֶׁחֲשָׁדוּהוּ. וְהֵם פּוֹרְשִׁים וּבוֹכִים
שֶׁחָשְׁדוּ לְמִי שֶׁמַּעֲשָׂיו סְתוּמִים
שֶׁמָּא אֵין בְּלִבּוֹ כְּלוּם.

וְאוֹמְרִים לוֹ. רְאֵה לִפְנֵי מִי
אַתָּה נִכְנָס לְמָקוֹם אֵשׁ לֶהָבֶת
שַׁלְהֶבֶת. קְהַל עֲדָתֵנוּ עָלֶיךָ
יִסְמוֹכוּ. וְעַל יָדְךָ תְּהֵא סְלִיחָתֵנוּ:

צִוּוּהוּ וְהִרְגִּילוּהוּ עַד בֹּא יוֹם
הֶעָשׂוֹר. וְעֶרֶב יוֹם הַכִּפּוּרִים
שַׁחֲרִית הָיוּ מַעֲמִידִין אוֹתוֹ בְּשַׁעַר

In the morning they foreswore him by the One Who caused His Name to dwell in this House (the *Bais Hamikdash*) that he should not deviate from what he was told to do, for perhaps there is in his heart a streak of apostasy. He turned away and wept because they suspected him. They turned away and wept for perhaps they had suspected a person whose deeds are unknown, for perhaps there was nothing (wrong) in his heart.

They said to him: "Behold, into Whose Presence you are entering. To a place of flaming fire. The congregation of our people are depending on you, and through you they will attain forgiveness."

They instructed him and practiced with him until the arrival of the tenth day (of *Tishrei*). And on the morning of *Erev Yom Kippur*, they stood him in the eastern gate (of the *Bais*

הַמִּזְרָח. וּמַעֲבִירִין לְפָנָיו פָּרִים וְאֵילִים וּכְבָשִׂים כְּדֵי שֶׁיְּהֵא מַכִּיר וְרָגִיל בַּעֲבוֹדָה:

Hamikdash) and passed before him bulls, rams and sheep, so that he should be familiar with and accustomed to the *Avodah*.

Daily Service in Gold Garments

See page 27.

פֵּרְשׂוּ לוֹ סָדִין שֶׁל בּוּץ בְּהַגִּיעַ עֵת שְׁחִיטַת כֶּבֶשׂ הַתָּמִיד לַעֲשׂוֹת מְחִיצָה בֵּינוֹ וּבֵין הָעָם. עוֹשֶׂה מִצְוָה בְּאֵימָה וְיִרְאָה וּבוֹדֵק עַצְמוֹ מֵחוֹצְצֵי טְבִילָה. שָׂשׂ עַל מִצְוָה לְקַיֵּם דָּתוֹ וּפָשַׁט בִּגְדֵי חוֹל וְיָרַד וְטָבַל וְעָלָה וְנִסְתַּפָּג כְּמוֹ שֶׁהוּזְהָר. נָתְנוּ לוֹ בִּגְדֵי זָהָב וְלָבַשׁ וְקִדֵּשׁ יָדָיו וְרַגְלָיו (מִקִּתּוֹן שֶׁל זָהָב).

They spread out for him a sheet of linen when the time came to slaughter the sheep of the *Korban Tamid*, in order to make a partition between him and the people. He did the *Mitzvah* with awe and with fear, and he inspected himself from anything that might render the immersion invalid. He vas happy to do the *Mitzvah* to fulfill the requirements, and he took off the everyday clothing. He descended, immersed himself, emerged and dried himself, as he was commanded to do. They gave him clothing of gold, and he dressed and sanctified his hands and feet (from a vessel of gold).

מִיַּד מְקַבֵּל אֶת כֶּבֶשׂ הַתָּמִיד. וְשׁוֹחֵט בּוֹ רוֹב שְׁנַיִם וּמֵנִיחַ לְאַחֵר לִגְמוֹר הַשְּׁחִיטָה. וּמְקַבֵּל אֶת הַדָּם וּזְרָקוֹ עַל הַמִּזְבֵּחַ כְּמִצְוָתוֹ. לִפְנִים לְהֵיכָל יִכְּנַס לְהֵטִיב חָמֵשׁ נֵרוֹת. וּלְהַקְטִיר קְטוֹרֶת הַבּוֹקֶר וּלְהֵטִיב אֶת שְׁתֵּי הַנֵּרוֹת הַנִּשְׁאָרוֹת. וְיָצָא וְהִקְרִיב אֶת הָרֹאשׁ וְאֶת הָאֵבָרִים

Immediately, he received the sheep of the *Tamid*, and he cut the greater part of the two (pipes, the windpipe and foodpipe), and let another (*Kohain*) complete the slaughtering. He received the blood and sprinkled it on the *Mizbayach*, as required. He went into the sanctuary to prepare the five candles (of the *Menorah*) and to burn the incense of the morning and to prepare the two remaining candles. He went out and offered up the head and the other limbs, as

כְּמִצְוָתָן. וּמַקְטִיר מִנְחַת הַתָּמִיד כְּמִשְׁפָּטָהּ. בְּכָל יוֹם יַעֲשֶׂה מִנְחַת הַסּוֹלֶת וּמִנְחַת חֲבִיתִּין וִינַסֵּךְ אֶת הַיַּיִן בְּכָל כְּלִי שִׁיר.

וְאַחַר הַתָּמִיד מַקְרִיב פַּר הָעוֹלָה וְשִׁבְעַת הַכְּבָשִׂים שֶׁל מוּסַף הַיּוֹם וּמִנְחָתָם לשבת (וּבְיוֹם הַשַּׁבָּת מַקְרִיב קוֹדֶם מוּסַף הַיּוֹם כְּבָשִׂים שֶׁל מוּסַף שַׁבָּת וּמִנְחָתָם וְעוֹרֵךְ לֶחֶם הַפָּנִים וּמַקְטִיר הַבָּזִיכִין כְּמִשְׁפָּטָן)

required. He brought the *Minchah* of the *Tamid*, in its proper order. As he did everyday, he made a *Minchah* of fine flour and a *Minchas Chavitin* and he poured the wine to the accompaniment of musical instruments.

After the *Korban Tamid*, he brought the bull of the *Olah* and the seven sheep for the *Mussaf* of the day and the *Minchah* that accompanied them. (If *Yom Kippur* was on *Shabbos*, then before the *Korban Mussaf* of *Yom Kippur*, he first brought the sheep of the *Korban Mussaf* of *Shabbos* and their *Minchah*, and he arranged the *Lechem Hapanim* and burned (the *Levonah* of) the trays, according to its designated manner.)

Second Immersion

See page 28.

יָבֹא מִיַּד לְבֵית הַפַּרְוָה וּבַקּוֹדֶשׁ הָיְתָה וּפָרשׂוּ לוֹ סָדִין שֶׁל בּוּץ בֵּינוֹ לְבֵין הָעָם כְּבָרִאשׁוֹנָה: טֶרֶם יִפְשׁוֹט בִּגְדֵי זָהָב מְקַדֵּשׁ בִּנְקִיוּת יָדָיו וְרַגְלָיו: חָל וּפָשַׁט בִּגְדֵי זָהָב וְיָרַד וְטָבַל כְּמוֹ שֶׁהוּזְהָר וְעָלָה וְנִסְתַּפָּג: זְהָבִים מַעֲבִיר וּלְבָנִים לוֹבֵשׁ שֶׁעֲבוֹדַת

He went immediately to the *Bais Haparvah* which was in the holy (part of the *Bais Hamikdash*), and they spread out for him a sheet of linen, between him and the people, as they had done before. Before he took off his golden garments, he washed his hands and feet in cleanliness. He began to take off the golden garments, and he descended and immersed himself, as he had been commanded to do, and then he emerged and dried himself. He took off his golden garments and put on white ones, because the service of the day was performed in white garments. He hurried and washed his hands and feet and approached his bull.

הַיּוֹם בְּבִגְדֵי לָבָן. וּמִהֵר וְקִדֵּשׁ יָדָיו וְרַגְלָיו וּבָא לוֹ תְּחִלָּה אֵצֶל פָּרוֹ.

First Confession on Bull

See page 30.

His bull stood in the north, situated between the *Ulam* and the *Mizbayach*, his head to the south and his face to the west. The *Kohain* stood in the east facing westward. He stood trembling before the Supreme Lord, said words of confession and leaned his hands (on the bull) and confessed.

And he would say thus: "Please, Hashem, I have sinned before You, (at times) unintentionally, (at times) intentionally, (and at times even) rebelliously, I and my household. Please, with (Your merciful) Name, forgive the unintentional, intentional and rebellious sins which I have sinned before You unintentionally, intentionally and rebelliously, I and my household, as it is written in the Torah of Moshe your servant, recorded from Your holy mouth, 'For on this day He will forgive you to purify you. From all that you have sinned before Hashem . . .' "

When the *Kohanim* and the people who were standing in the *Azarah* heard the honored, awesome Name explicitly uttered by the *Kohain Gadol* with holiness and purity, they would bow,

וּפָרוֹ הָיָה עוֹמֵד בְּצָפוֹן כְּנֶגֶד בֵּין הָאוּלָם וְלַמִּזְבֵּחַ רֹאשׁוֹ לְדָרוֹם וּפָנָיו לְמַעֲרָב. וְהַכֹּהֵן עוֹמֵד בְּמִזְרָח וּפָנָיו לְמַעֲרָב. הָיָה עוֹמֵד בְּאֵימָה לִפְנֵי קֵל עֶלְיוֹן וְאוֹמֵר עָלָיו דִּבְרֵי וִידּוּי וְסָמַךְ שְׁתֵּי יָדָיו עָלָיו וְהִתְוַדָּה:

וְכַךְ הָיָה אוֹמֵר. אָנָּא הַשֵּׁם. חָטָאתִי. עָוִיתִי. פָּשַׁעְתִּי לְפָנֶיךָ. אֲנִי וּבֵיתִי. אָנָּא בַּשֵּׁם. כַּפֶּר נָא לַחֲטָאִים. וְלַעֲוֹנוֹת. וְלַפְּשָׁעִים. שֶׁחָטָאתִי. וְשֶׁעָוִיתִי. וְשֶׁפָּשַׁעְתִּי לְפָנֶיךָ אֲנִי וּבֵיתִי: כַּכָּתוּב בְּתוֹרַת מֹשֶׁה עַבְדֶּךָ מִפִּי כְבוֹדֶךָ. כִּי בַיּוֹם הַזֶּה יְכַפֵּר עֲלֵיכֶם לְטַהֵר אֶתְכֶם מִכֹּל חַטֹּאתֵיכֶם לִפְנֵי ה':

וְהַכֹּהֲנִים וְהָעָם הָעוֹמְדִים בָּעֲזָרָה. כְּשֶׁהָיוּ שׁוֹמְעִים אֶת הַשֵּׁם הַנִּכְבָּד וְהַנּוֹרָא מְפוֹרָשׁ יוֹצֵא מִפִּי כֹּהֵן גָּדוֹל בִּקְדֻשָּׁה וּבְטָהֳרָה. הָיוּ כּוֹרְעִים וּמִשְׁתַּחֲוִים וְנוֹפְלִים עַל

פְּנֵיהֶם. וְאוֹמְרִים בָּרוּךְ שֵׁם כְּבוֹד מַלְכוּתוֹ לְעוֹלָם וָעֶד:
וְאַף הוּא הָיָה מִתְכַּוֵּן כְּנֶגֶד הַמְבָרְכִים לִגְמוֹר אֶת הַשֵּׁם וְאוֹמֵר לָהֶם תִּטְהָרוּ.
וְאַתָּה בְּטוּבְךָ מְעוֹרֵר רַחֲמֶיךָ וְסוֹלֵחַ לְאִישׁ חֲסִידֶךָ:

prostrate themselves, give thanks, fall on their faces and say, "Blessed is the Name of the Honor of His Kingdom forever and ever."

The *Kohain Gadol* coordinated saying the Name to conclude together with those who were blessing it. (He then would finish the *Passuk* by) saying to them, "You shall become pure."

And You, with Your abundant goodness, (would) arouse Your mercy and forgive Your righteous person (the *Kohain Gadol*).

The Lottery of the Goats

See page 32.

דָּרַךְ וּבָא לוֹ לְשַׁעַר נִקָּנוֹר וְהוּא לְמִזְרַח הָעֲזָרָה לִצְפוֹן הַמִּזְבֵּחַ הַסְּגָן מִימִינוֹ וְרֹאשׁ בֵּית אָב מִשְּׂמֹאלוֹ וְשָׁם שְׁנֵי שְׂעִירִים פְּנֵיהֶם לַמַּעֲרָב וַאֲחוֹרֵיהֶם לַמִּזְרָח. אֶחָד לִימִינוֹ וְאֶחָד לִשְׂמֹאלוֹ. טָרַף בַּקַּלְפִּי וְהֶעֱלָה שְׁנֵי גּוֹרָלוֹת. גּוֹרָל יָמִין כְּשֶׁהוּא שֶׁל שֵׁם יִתְּנֵהוּ עַל הַשָּׂעִיר וְאוֹמֵר לַה' חַטָּאת:
וְהַכֹּהֲנִים וְהָעָם הָעוֹמְדִים בָּעֲזָרָה. כְּשֶׁהָיוּ שׁוֹמְעִים אֶת הַשֵּׁם הַנִּכְבָּד וְהַנּוֹרָא מְפוֹרָשׁ יוֹצֵא מִפִּי כֹּהֵן גָּדוֹל בִּקְדֻשָּׁה וּבְטָהֳרָה. הָיוּ כּוֹרְעִים וּמִשְׁתַּחֲוִים וְנוֹפְלִים עַל

He stepped over to the Gate of Niknor, at the east of the *Azarah* north of the *Mizbayach*. His assistant was at his right, and the head of a family of *Kohanim* to his left, and in that place there were two goats facing the west, their backs to the east, one to his right and one to his left. He rummaged in the box (of lots) and brought out two lots. The lot of the right hand, which was the lot for Hashem, he put on the goat and said, "For Hashem a sin offering."

When the *Kohanim* and the people who were standing in the *Azarah* heard the honored, awesome Name explicitly uttered by the *Kohain Gadol* with holiness and purity, they would bow, prostrate themselves, give thanks, fall on their faces and say, "Blessed is the Name of the Honor of his Kingdom forever and ever."

The *Kohain Gadol* would tie a red thread which weighed two *sela'im* between the horns (of the goat which was sent to the Azazel) and he positioned the goat in the eastern gate opposite the place from which he would be sent. Even on the goat that was sent to Hashem he would tie a red thread against the slaughtering section of the neck.

פְּנֵיהֶם. וְאוֹמְרִים בָּרוּךְ שֵׁם כְּבוֹד מַלְכוּתוֹ לְעוֹלָם וָעֶד:

בִּשְׂעִיר עֲזָאזֵל לָשׁוֹן שֶׁל זְהוֹרִית מִשְׁקַל שְׁתֵּי סְלָעִים בֵּין קַרְנָיו יִקְשׁוֹר וְיַעֲמִידֵהוּ בְּשַׁעַר הַמִּזְרָח כְּנֶגֶד בֵּית שִׁלּוּחוֹ: אַף בְּשָׂעִיר שֶׁהוּא שֶׁל שֵׁם יִקְשׁוֹר לָשׁוֹן שֶׁל זְהוֹרִית כְּנֶגֶד בֵּית שְׁחִיטָתוֹ בְּצַוָּאר.

Confession for the *Kohanim* and Slaughtering of the Bull

See pages 34-36.

Then he again approached the bull and while standing over him confessed the sins of his household and of his brothers the *Kohanim*, and he leaned both his hands on it and confessed.

And he would say thus: "Please, Hashem, I have sinned before You, (at times) unintentionally, (at times) intentionally, (and at times even) rebelliously, I and my household, and the sons of Aharon, Your holy nation. Please, with (Your merciful) Name, forgive the unintentional, intentional and rebellious sins which I have sinned before You unintentionally, intentionally and rebelliously, I and my household, and the sons of Aharon,

וּבָא לוֹ שֵׁנִית אֵצֶל פָּרוֹ וְאוֹמֵר עָלָיו וִידּוּי בֵּיתוֹ וּוִידּוּי אֶחָיו הַכֹּהֲנִים וְסָמַךְ שְׁתֵּי יָדָיו עָלָיו וְהִתְוַדָּה:

וְכַךְ הָיָה אוֹמֵר. אָנָּא הַשֵּׁם. חָטָאתִי. עָוִיתִי. פָּשַׁעְתִּי לְפָנֶיךָ. אֲנִי וּבֵיתִי וּבְנֵי אַהֲרֹן עַם קְדוֹשֶׁךָ: אָנָּא בַּשֵּׁם. כַּפֶּר נָא לַחֲטָאִים. וְלַעֲוֹנוֹת. וְלַפְּשָׁעִים. שֶׁחָטָאתִי. וְשֶׁעָוִיתִי. וְשֶׁפָּשַׁעְתִּי לְפָנֶיךָ אֲנִי וּבֵיתִי וּבְנֵי אַהֲרֹן עַם קְדוֹשֶׁךָ.

כַּכָּתוּב בְּתוֹרַת מֹשֶׁה עַבְדֶּךָ מִפִּי כְבוֹדֶךָ. כִּי בַיּוֹם הַזֶּה יְכַפֵּר עֲלֵיכֶם לְטַהֵר אֶתְכֶם מִכֹּל חַטֹּאתֵיכֶם לִפְנֵי ה׳:

וְהַכֹּהֲנִים וְהָעָם הָעוֹמְדִים בָּעֲזָרָה. כְּשֶׁהָיוּ שׁוֹמְעִים אֶת הַשֵּׁם הַנִּכְבָּד וְהַנּוֹרָא מְפוֹרָשׁ יוֹצֵא מִפִּי כֹהֵן גָּדוֹל בִּקְדֻשָּׁה וּבְטָהֳרָה. הָיוּ כּוֹרְעִים וּמִשְׁתַּחֲוִים וְנוֹפְלִים עַל פְּנֵיהֶם. וְאוֹמְרִים בָּרוּךְ שֵׁם כְּבוֹד מַלְכוּתוֹ לְעוֹלָם וָעֶד.

וְאַף הוּא הָיָה מִתְכַּוֵּן כְּנֶגֶד הַמְבָרְכִים לִגְמוֹר אֶת הַשֵּׁם וְאוֹמֵר לָהֶם תִּטְהָרוּ.

וְאַתָּה בְּטוּבְךָ מְעוֹרֵר רַחֲמֶיךָ וְסוֹלֵחַ לְשֵׁבֶט מְשָׁרְתֶךָ:

אַחַר וִידּוּי שָׁקַד בְּעַצְמוֹ לַעֲשׂוֹת חַטָּאתוֹ וְחַטַּאת הָעָם: בָּדַק סַכִּין וְשָׁחַט פָּרוֹ רוֹב שְׁנַיִם וּמֵירַק אַחֵר אֶת הַשְּׁחִיטָה וְקִבֵּל דָּמוֹ בְּמִזְרָק טָהוֹר. גַּם לַחֲבֵירוֹ יִתֵּן מִיַּד לִמְמָרֵס בְּדָמוֹ כְּדֵי שֶׁלֹּא יִקְרוֹשׁ:

Your holy nation, as it is written in the Torah of Moshe your servant, recorded from Your holy mouth, 'For on this day He will forgive you to purify you. From all that you have sinned before Hashem . . .' "

When the *Kohanim* and the people who were standing in the *Azarah* heard the honored, awesome Name explicitly uttered by the *Kohain Gadol* with holiness and purity, they would bow, prostrate themselves, give thanks, fall on their faces and say, "Blessed is the Name of the Honor of His Kingdom forever and ever."

The *Kohain Gadol* coordinated saying the Name to conclude together with those who were blessing it. (He then would finish the *Passuk* by) saying to them, "You shall become pure."

And You, with Your abundant goodness, (would) arouse Your mercy and forgive the tribe which serves You.

After the confession, he hurried to offer his own *Chattas* and the *Chattas* of the people and inspected the knife and slaughtered his bull cutting the greater part of both (pipes, the windpipe and foodpipe), and someone else completed the slaughtering and received the blood in a pure bowl. He also immediately gave the blood to another (*Kohain*) to stir so that it would not harden.

Burning of the *Ketores*

See pages 38-44.

This blood was left with the one who stirred it in the *Azarah* on the fourth plank from the *Heichal* outward, and he took a light shovel of red gold which held three *kav* measures and had a long handle, and he went up to the top of the *Mizbayach* and pushed aside the coals which were half coal and half fire, hither and thither, and he dug among those simmering on the west side of the *Mizbayach*.

He took down the shovel full of simmering hot coals, and he put it on the fourth plank in the *Azarah*. They took out for him an empty spoon-shaped vessel and a shovel full of incense which was ground exceedingly fine. He took from it two handfuls, not flattened nor piled high but overflowing, and put some into the spoon-shaped vessel. And he put in his right hand the shovel of coals and in his left hand the spoon-shaped vessel with the incense.

He hurried and went into the *Kodesh Hakodoshim* until he reached the *Aron*, and he placed the shovel between the poles of the *Aron*. In the second *Bais Hamikdash*, he placed it on the *Even Shesiyah*. He gathered all the incense that was in the spoon-shaped vessel into his palms and put it on the coals in

דַּם זֶה הִנִּיחוֹ בְּיַד מִי שֶׁמְּמָרֵס בּוֹ בָּעֲזָרָה עַל הָרוֹבֶד הָרְבִיעִי שֶׁמִּן הַהֵיכָל וְלַחוּץ. וְנָטַל מַחְתָּה שֶׁל זָהָב אָדוֹם קַלָּה מַחֲזֶקֶת שְׁלֹשָׁה קַבִּין וְיָדָהּ אֲרוּכָה וְעָלָה לְרֹאשׁ הַמִּזְבֵּחַ וּפִנָּה גֶּחָלִים שֶׁמַּחֲצִיתָן גַּחֶלֶת וּמַחֲצִיתָן שַׁלְהֶבֶת אֵילָךְ וְאֵילָךְ וְחָתָה מִן הַלּוֹחֲשׁוֹת מִצַּד מַעֲרָב הַמִּזְבֵּחַ:

הוֹרִידָהּ מְלֵאָה גַּחֲלֵי אֵשׁ לוֹחֲשׁוֹת וְהִנִּיחָהּ עַל הָרוֹבֶד הָרְבִיעִי שֶׁבָּעֲזָרָה. הוֹצִיאוּ לוֹ כַּף רֵיקָן וּמַחְתָּה מְלֵאָה קְטוֹרֶת דַּקָּה מִן הַדַּקָּה. וְחָפַן מִמֶּנָּהּ מְלֹא חָפְנָיו לֹא מְחוּקוֹת וְלֹא גְדוּשׁוֹת אֶלָּא טְפוּפוֹת וְנָתַן לְתוֹךְ הַכַּף וְנוֹתֵן בִּימִינוֹ מַחְתַּת הַגֶּחָלִים וּבִשְׂמֹאלוֹ כַּף הַקְּטוֹרֶת.

זֵרֵז עַצְמוֹ וְנִכְנַס לְקוֹדֶשׁ הַקֳּדָשִׁים עַד שֶׁמַּגִּיעַ לָאָרוֹן וְהִנִּיחַ הַמַּחְתָּה בֵּין בַּדֵּי הָאָרוֹן וּבַבַּיִת שֵׁנִי מֵנִיחַ עַל אֶבֶן הַשְּׁתִיָּה. חָפַן כָּל הַקְּטוֹרֶת שֶׁבְּכַף בְּחָפְנָיו וְנָתַן עַל

the west, and he waited there until the whole chamber filled up with smoke.

הַגֶּחָלִים לְצַד מַעֲרָב וּמַמְתִּין שָׁם עַד שֶׁנִּתְמַלֵּא הַבַּיִת כּוּלּוֹ עָשָׁן:

(The *Kohain Gadol* who was) pure of heart stepped back, his face towards the *Kodesh Hakodoshim* and his back to the *Heichal*, until he emerged from the *Paroches*, and he prayed a short prayer in the *Heichal* near the *Paroches*.

טָהוֹר לֵב פָּסַע וְשָׁב לַאֲחוֹרָיו פָּנָיו לְקוֹדֶשׁ וַאֲחוֹרָיו לְהֵיכָל עַד שֶׁיָּצָא מִן הַפָּרוֹכֶת וּמִתְפַּלֵּל בְּהֵיכָל תְּפִלָּה קְצָרָה סָמוּךְ לַפָּרוֹכֶת:

And this was the prayer of the *Kohain Gadol*: "May it be Your will, Hashem, our Lord and the Lord of our forefathers, that this year which is coming on us and on your whole nation the House of Yisrael, wherever they may be, that if it be hot there be ample rain, and let not the prayers of the wayfarers come before You in regard to the rain when the world is in need of it, and that your people, the House of Yisrael should not depend on one another for a livelihood nor on any other nation, a year in which no woman should lose the fruit of her womb, and that the fruit trees should give forth their fruit, and that sovereignty not be taken away from the House of Yehudah."

וְכָךְ הָיְתָה תְּפִלָּתוֹ שֶׁל כֹּהֵן גָּדוֹל. יְהִי רָצוֹן מִלְּפָנֶיךָ ה׳ אֱלֹקֵינוּ וֵאלֹקֵי אֲבוֹתֵינוּ שֶׁתְּהֵא שָׁנָה זוֹ הַבָּאָה עָלֵינוּ וְעַל כָּל עַמְּךָ בֵּית יִשְׂרָאֵל בְּכָל מָקוֹם שֶׁהֵם אִם שְׁחוּנָה גְשׁוּמָה וְאַל יִכָּנֵס לְפָנֶיךָ תְּפִלַּת עוֹבְרֵי דְרָכִים לְעִנְיַן הַגֶּשֶׁם בְּשָׁעָה שֶׁהָעוֹלָם צָרִיךְ לוֹ וְשֶׁלֹּא יִצְטָרְכוּ עַמְּךָ בֵּית יִשְׂרָאֵל בְּפַרְנָסָה זֶה לָזֶה וְלֹא לְעַם אַחֵר. שָׁנָה שֶׁלֹּא תַּפִּיל אִשָּׁה פְּרִי בִטְנָהּ וְשֶׁיִּתְּנוּ עֲצֵי הַשָּׂדֶה אֶת תְּנוּבָתָם וְלֹא יַעֲדֵי עֲבִיד שׁוּלְטָן מִדְּבֵית יְהוּדָה:

First Sprinkling of the Bull's Blood

See pages 46-48.

He went out and took the blood of the bull from the *Kohain* who was stirring it, and he entered the place where he had entered before, and he stood

יָצָא וְנָטַל דַּם הַפָּר מִמִּי שֶׁמְּמָרֵס בּוֹ וְנִכְנַס לְמָקוֹם שֶׁנִּכְנַס וְעָמַד בְּמָקוֹם שֶׁעָמַד וְטוֹבֵל

in the place where he had stood, and he dipped his finger before every sprinkling. He sprinkled the blood in front of the *Kapores* between (the former positions of) the poles, once upward and seven times downward. And he didn't intend to sprinkle on top nor on the bottom but in a row, as one who whips. And he counted thus:

"One (upward). One (upward) and one (downward). One (upward) and two (downward). One (upward) and three (downward). One (upward) and four (downward). One (upward) and five (downward). One (upward) and six (downward). One (upward) and seven (downward)."

He went out from the *Kodesh Hakodoshim* and put it (the remaining blood) on the golden stand that was in the *Heichal*.

אֶצְבָּעוֹ עַל כָּל הַזָּיָה. וְהִזָּה מִמֶּנּוּ לִפְנֵי הַכַּפּוֹרֶת בֵּין בַּדֵּי הָאָרוֹן: אַחַת לְמַעְלָה וְשֶׁבַע לְמַטָּה וְלֹא הָיָה מִתְכַּוֵּין לְהַזּוֹת לֹא לְמַעְלָה וְלֹא לְמַטָּה אֶלָּא כְּמַצְלִיף: וְכַךְ הָיָה מוֹנֶה.

אַחַת. אַחַת וְאַחַת. אַחַת וּשְׁתַּיִם. אַחַת וְשָׁלֹשׁ. אַחַת וְאַרְבַּע. אַחַת וְחָמֵשׁ. אַחַת וָשֵׁשׁ. אַחַת וָשֶׁבַע:

יָצָא מִקָּדְשֵׁי הַקָּדָשִׁים וְהִנִּיחוֹ עַל כַּן הַזָּהָב שֶׁהָיָה בְּהֵיכָל:

Slaughtering the Goat and Sprinkling Its Blood

See pages 50-52.

When he went out, they brought him the goat for the *Chattas*. He slaughtered it and received its blood in a pure bowl. He went inside to sprinkle from its blood between the (former position of the) two poles of the *Aron*, in the same manner he had done to the blood of the bull, once upward and seven times downward. And he didn't intend to sprinkle on

כְּצֵאתוֹ הֵבִיאוּ לוֹ שְׂעִיר חַטָּאת שְׁחָטוֹ וְקִבֵּל דָּמוֹ בְּמִזְרָק טָהוֹר. לִפְנִים יִכָּנֵס לְהַזּוֹת מִדָּמוֹ בֵּין שְׁנֵי בַּדֵּי הָאָרוֹן כְּסֵדֶר דַּם הַפָּר: אַחַת לְמַעְלָה וְשֶׁבַע לְמַטָּה וְלֹא הָיָה מִתְכַּוֵּין לְהַזּוֹת לֹא

לְמַעְלָה וְלֹא לְמַטָּה אֶלָּא כְּמַצְלִיף: וְכַךְ הָיָה מוֹנֶה.

אַחַת. אַחַת וְאַחַת. אַחַת וּשְׁתַּיִם. אַחַת וְשָׁלֹשׁ. אַחַת וְאַרְבַּע. אַחַת וְחָמֵשׁ. אַחַת וָשֵׁשׁ. אַחַת וָשֶׁבַע.

יָצָא וְהִנִּיחוֹ עַל כַּן הַזָּהָב הַשֵּׁנִי שֶׁהָיָה בְּהֵיכָל:

top nor on the bottom but in a row, as one who whips. And he counted thus:

"One (upward). One (upward) and one (downward). One (upward) and two (downward). One (upward) and three (downward). One (upward) and four (downward). One (upward) and five (downward). One (upward) and six (downward). One (upward) and seven (downward)."

He went out and put it (the remaining blood) on the golden stand that was in the *Heichal*.

Second Sprinkling of Bull's Blood

See page 54.

מִיהֵר וְנָטַל דַּם הַפָּר מִן הַכַּן שֶׁהִנִּיחַ עָלָיו וְטוֹבֵל אֶצְבָּעוֹ עַל כָּל הַזָּיָה. וְהִזָּה מִמֶּנּוּ עַל הַפָּרוֹכֶת כְּנֶגֶד הָאָרוֹן מִבַּחוּץ. אַחַת לְמַעְלָה וְשֶׁבַע לְמַטָּה וְלֹא הָיָה מִתְכַּוֵּין לְהַזּוֹת לֹא לְמַעְלָה וְלֹא לְמַטָּה אֶלָּא כְּמַצְלִיף: וְכַךְ הָיָה מוֹנֶה.

אַחַת. אַחַת וְאַחַת. אַחַת וּשְׁתַּיִם. אַחַת וְשָׁלֹשׁ. אַחַת

He hastened and took the blood of the bull from the stand upon which he had put it and dipped in his finger before every sprinkling. He sprinkled from it by the *Paroches*, towards the (former position of the) *Aron*, from the other side (of the *Paroches*), once upward and seven times downward. And he didn't intend to sprinkle on top nor on the bottom but in a row, as one who whips. And he counted thus:

"One (upward). One (upward) and one (downward). One (upward) and two (downward). One (upward) and three (downward). One (upward) and four (downward). One (upward) and five (downward).

וְאַרְבַּע. אַחַת וְחָמֵשׁ. אַחַת וָשֵׁשׁ. אַחַת וָשֶׁבַע.

One (upward) and six (downward). One (upward) and seven (downward)."

Second Sprinkling of Goat's Blood

See pages 54-60.

נָחַץ וְהִנִּיחַ דַּם הַפָּר וְנָטַל דַּם הַשָּׂעִיר וְעָשָׂה לְדָמוֹ כַּאֲשֶׁר עָשָׂה לְדַם הַפָּר וְהִזָּה עַל הַפָּרוֹכֶת כְּנֶגֶד הָאָרוֹן מִבַּחוּץ. אַחַת לְמַעְלָה וְשֶׁבַע לְמַטָּה. וְלֹא הָיָה מִתְכַּוֵּין לְהַזּוֹת לֹא לְמַעְלָה וְלֹא לְמַטָּה אֶלָּא כְּמַצְלִיף: וְכָךְ הָיָה מוֹנֶה.

אַחַת. אַחַת וְאַחַת. אַחַת וּשְׁתַּיִם. אַחַת וְשָׁלשׁ. אַחַת וְאַרְבַּע. אַחַת וְחָמֵשׁ. אַחַת וָשֵׁשׁ. אַחַת וָשֶׁבַע:

שָׂשׂ וְעֵירָה דַּם הַפָּר לְתוֹךְ הַמִּזְרָק שֶׁבּוֹ דַּם הַשָּׂעִיר. וְנָתַן הַמָּלֵא בְּרֵיקָן כְּדֵי שֶׁיִּתְעָרְבוּ יָפֶה יָפֶה זֶה בָּזֶה. וּבָא וְעָמַד לִפְנִים מִמִּזְבַּח הַזָּהָב בֵּין הַמִּזְבֵּחַ

He put down the blood of the bull and took the blood of the goat, and did to its blood just as he had done with the blood of the bull. And he sprinkled from it on the *Paroches*, towards the (former position of the) *Aron*, from the other side (of the *Paroches*), upward and seven times downward. And he didn't intend to sprinkle on top nor on the bottom but in a row, as one who whips. And he counted thus:

"One (upward). One (upward) and one (downward). One (upward) and two (downward). One (upward) and three (downward). One (upward) and four (downward). One (upward) and five (downward). One (upward) and six (downward). One (upward) and seven (downward)."

He rejoiced as he emptied the blood of the bull into the vessel which contained the blood of the goat, and he put the full one into the empty one, in order that they should mix well with each other. He came and stood beyond the golden *Mizbayach*, between the *Mizbayach* and the *Menorah*, and he began

וְהַמְּנוֹרָה וּמַתְחִיל לְהַזּוֹת מִדַּם הַתַּעֲרוֹבֶת.

עַל אַרְבַּע קַרְנוֹתָיו יִתֵּן כְּסִדְרָן מַתְחִיל מִקֶּרֶן מִזְרָחִית צְפוֹנִית וּמְסַיֵּם בְּקֶרֶן דְּרוֹמִית מִזְרָחִית וְחוֹתֶה הַגֶּחָלִים וְהָאֵפֶר שֶׁבְּמִזְבַּח הַזָּהָב הֵילָךְ וְהֵילָךְ עַד שֶׁמְּגַלֶּה זְהָבוֹ וּמַזֶּה מִדַּם הַתַּעֲרוֹבֶת עַל טָהֳרוֹ שֶׁל מִזְבֵּחַ שֶׁבַע פְּעָמִים:

פָּסַע וְיָצָא לְצַד דָּרוֹם חוּץ לָאוּלָם וְשָׁפַךְ אֶת הַשִּׁירַיִם עַל יְסוֹד מַעֲרָבִי שֶׁל מִזְבֵּחַ הַחִיצוֹן:

to sprinkle from the blood of the mixture.

He sprinkled on the four corners according to their proper order, beginning with the northeast corner and ending with the southeast corner, and he shovelled the coals and ashes of the golden *Mizbayach* hither and thither until he uncovered its gold (veneer), and he sprinkled from the blood of the mixture on the surface seven times.

He walked to the south side, outside the *Ulam*, and he poured the remnants (of the blood) onto the western foundation of the outer *Mizbayach*.

Confession on the Goat

See page 62.

צָעַד וּבָא לוֹ אֵצֶל הַשָּׂעִיר הַמִּשְׁתַּלֵּחַ לַעֲזָאזֵל לְהִתְוַדּוֹת עָלָיו אַשְׁמַת קְהָלוֹ וְסָמַךְ שְׁתֵּי יָדָיו עָלָיו וְהִתְוַדָּה: וְכַךְ הָיָה אוֹמֵר. אָנָּא הַשֵּׁם. חָטְאוּ. עָווּ. פָּשְׁעוּ לְפָנֶיךָ. עַמְּךָ בֵּית יִשְׂרָאֵל. אָנָּא בַשֵּׁם. כַּפֶּר נָא לַחֲטָאִים. וְלַעֲוֹנוֹת. וְלַפְּשָׁעִים. שֶׁחָטְאוּ. וְשֶׁעָווּ. וְשֶׁפָּשְׁעוּ לְפָנֶיךָ עַמְּךָ בֵּית יִשְׂרָאֵל. כַּכָּתוּב בְּתוֹרַת מֹשֶׁה עַבְדֶּךָ מִפִּי

He stepped over to the goat that was to be sent to Azazel to confess on it the guilt of his congregation, and he leaned both of his hands on it and confessed. And he would say thus: "Please, Hashem, Your nation the House of Yisrael has sinned before You, (at times) unintentionally, (at times) intentionally, (and at times even) rebelliously, I and my household. Please, with (Your merciful) Name, forgive the unintentional, intentional and rebellious sins which Your nation the House of Yisrael has sinned before You unintentionally, intentionally and rebelliously, as it is written in the Torah of Moshe your servant, recorded

כְּבוֹדֶךָ. כִּי בַיּוֹם הַזֶּה יְכַפֵּר עֲלֵיכֶם לְטַהֵר אֶתְכֶם מִכֹּל חַטֹּאתֵיכֶם לִפְנֵי ה׳:

from Your holy mouth, 'For on this day He will forgive you to purify you. From all that you have sinned before Hashem . . .' "

וְהַכֹּהֲנִים וְהָעָם הָעוֹמְדִים בָּעֲזָרָה. כְּשֶׁהָיוּ שׁוֹמְעִים אֶת הַשֵּׁם הַנִּכְבָּד וְהַנּוֹרָא מְפוֹרָשׁ יוֹצֵא מִפִּי כֹהֵן גָּדוֹל בִּקְדֻשָּׁה וּבְטָהֳרָה. הָיוּ כּוֹרְעִים וּמִשְׁתַּחֲוִים וְנוֹפְלִים עַל פְּנֵיהֶם. וְאוֹמְרִים בָּרוּךְ שֵׁם כְּבוֹד מַלְכוּתוֹ לְעוֹלָם וָעֶד.

When the *Kohanim* and the people who were standing in the *Azarah* heard the honored, awesome Name explicitly uttered by the *Kohain Gadol* with holiness and purity, they would bow, prostrate themselves, give thanks, fall on their faces and say, "Blessed is the Name of the Honor of His Kingdom forever and ever."

וְאַף הוּא הָיָה מִתְכַּוֵּן כְּנֶגֶד הַמְבָרְכִים לִגְמוֹר אֶת הַשֵּׁם וְאוֹמֵר לָהֶם תִּטְהָרוּ.

The *Kohain Gadol* coordinated saying the Name to conclude together with those who were blessing it. (He then would finish the *Passuk* by) saying to them, "You shall become pure."

וְאַתָּה בְּטוּבְךָ מְעוֹרֵר רַחֲמֶיךָ וְסוֹלֵחַ לַעֲדַת יְשֻׁרוּן:

And You, with Your abundant goodness, (would) arouse Your mercy and forgive the Congregation of Yisrael.

Sending the Goat to the Desert

See page 64.

קָרָא לְאֶחָד מִן הַכֹּהֲנִים הַמְזוּמָן מֵאֶתְמוֹל לְהוֹלִיכוֹ וּמְסָרוֹ לוֹ לְהוֹלִיכוֹ אֶל אֶרֶץ. גְּזֵרָה לְמִדְבַּר שְׁמָם. וּכְשֶׁהִגִּיעַ לְצוּק חוֹלֵק לָשׁוֹן שֶׁל זְהוֹרִית שֶׁבְּקַרְנָיו. חֶצְיוֹ קוֹשֵׁר בַּסֶּלַע וְחֶצְיוֹ בֵּין קַרְנָיו וּדְחָפוֹ בִּשְׁתֵּי יָדָיו לַאֲחוֹרָיו

He called one of the *Kohanim* who was assigned from the previous day to take the goat away, and he gave (the goat) over to him to take to a desolate land, to a barren desert. When he reached the rock, he divided the red thread on (the goat's) horns. Half he tied on the rock and half between his horns, and he pushed (the goat) with both hands backward, and it would roll down, and before descending even halfway it fell apart in pieces. And (the *Kohain*) would say: "So should be erased the sins of your children the House of Yisrael."

וְהוּא הָיָה מִתְגַּלְגֵּל וְיוֹרֵד וְלֹא הָיָה מַגִּיעַ לַחֲצִי הָהָר עַד שֶׁנַּעֲשָׂה אֵיבָרִים אֵיבָרִים וְאוֹמֵר כַּךְ יִמָּחוּ עֲוֹנוֹת עַמְּךָ בֵּית יִשְׂרָאֵל:

Sending of the Bull and Goat to be Burned and Reading of the Torah

See pages 66-68.

The *Kohain Gadol* ran to the bull and goat designated for burning, and he tore them open and took out their innards and put them in a vessel to burn them on the *Mizbayach*. He intertwined their bodies and sent it with others to take to the place where they would be burned.

He returned to the *Ezras Nashim* in the *Bais Hamikdash* after the goat reached the desert to read from the Torah from *Sefer Vayikra, Parshas Achray Mos*, and (from *Parshas Emor*, specifically) "*Ach Be'asor*." And he rolled up the *Sefer Torah*, put it in his lap and said: "More than what I have read before you is written here." And from *Parshas Pinchas* in *Chumash Bamidbar*, he read by heart about *Yom Kippur*, and afterwards, he said eight blessings: on the Torah; on the *Avodah*; on gratitude to Hashem; on the forgiving of sins; on the *Bais Hamikdash*; on the nation of Yisrael; and on the rest of the prayers.

רָץ לוֹ אֵצֶל הַפָּר וְאֵצֶל הַשָּׂעִיר הַנִּשְׂרָפִים וּקְרָעָן וְהוֹצִיא אֵימוּרֵיהֶם וּנְתָנָם בְּמָגֵס לְהַקְטִירָם עַל גַּבֵּי הַמִּזְבֵּחַ. וּבְשָׂרָן קְלָעָן בְּמַקְלָעוֹת וּמְשַׁלְּחָן בְּיַד אֲחֵרִים לְהוֹצִיאָן לְבֵית הַשְּׂרֵפָה.

שָׁב וּבָא לְעֶזְרַת נָשִׁים אַחַר שֶׁהִגִּיעַ הַשָּׂעִיר לַמִּדְבָּר לִקְרוֹת בְּתוֹרַת כֹּהֲנִים פָּרָשַׁת אַחֲרֵי מוֹת וְאַךְ בֶּעָשׂוֹר וְגוֹלֵל הַסֵּפֶר תּוֹרָה וּמַנִּיחוֹ בְּחֵיקוֹ וְאוֹמֵר יוֹתֵר מִמָּה שֶׁקָּרִיתִי לִפְנֵיכֶם כָּתוּב כָּאן. וּבֶעָשׂוֹר שֶׁבְּחוּמַשׁ הַפְּקוּדִים קוֹרֵא עַל פֶּה וּמְבָרֵךְ לְאַחֲרֵיהֶם שְׁמוֹנֶה בְּרָכוֹת עַל הַתּוֹרָה וְעַל הָעֲבוֹדָה וְעַל הַהוֹדָאָה וְעַל מְחִילַת הֶעָוֹן וְעַל הַמִּקְדָּשׁ וְעַל יִשְׂרָאֵל וְעַל הַכֹּהֲנִים וְעַל שְׁאָר הַתְּפִלָּה:

Third Immersion—Offering of *Korbanos*

תִּכֵּן צְעָדָיו וּבָא לְבֵית הַטְּבִילָה וְקִדֵּשׁ יָדָיו וְרַגְלָיו וּפָשַׁט בִּגְדֵי לָבָן וְיָרַד וְטָבַל עָלָה וְנִסְתַּפָּג. הֵבִיאוּ לוֹ בִּגְדֵי זָהָב וְלָבַשׁ וְקִדֵּשׁ יָדָיו וְרַגְלָיו וְעָשָׂה שָׂעִיר הַנַּעֲשֶׂה בַּחוּץ שֶׁהוּא מִמּוּסַף הַיּוֹם. וְאַחַר כַּךְ מַקְרִיב אֶת אֵילוֹ וְאֶת אֵיל הָעָם וּמִנְחָתָם וְנִסְכֵּיהֶם כְּמִשְׁפָּטָם וּמַקְטִיר הָאֵימוּרִים שֶׁל פַּר וְשָׂעִיר הַנִּשְׂרָפִים וְאַחַר כַּךְ מַקְרִיב תָּמִיד שֶׁל בֵּין הָעַרְבַּיִם כְּהִלְכָתוֹ:

See pages 70-74.

He directed his steps and came to the *Mikveh*, and he washed his hands and feet, and removed his white garments. He went down, immersed himself, emerged and dried himself. They (the *Kohanim*) brought him golden garments, and he dressed, washed his hands and feet and performed the *Avodah* on the goat which took place outside the *Heichal*, which was part of the *Mussaf* of the day. Afterwards, he brought his ram and the ram of the people and their *Menachos* and *Nessachim*, according to their proper order, and he burnt the innards of the bull and the goat designated for burning. And then he brought the *Korban Tamid* of the evening, according to its laws.

Fourth Immersion—Removal of Vessels

אַחַר כַּלּוֹתוֹ מֵעֲשׂוֹת כָּל אֵלֶּה עוֹד בָּא לְבֵית הַטְּבִילָה מִהֵר וְקִדֵּשׁ יָדָיו וְרַגְלָיו וּפָשַׁט בִּגְדֵי זָהָב וְיָרַד וְטָבַל עָלָה וְנִסְתַּפָּג הֵבִיאוּ לוֹ בִּגְדֵי לָבָן לָבַשׁ וְקִדֵּשׁ יָדָיו וְרַגְלָיו נִכְנַס לְבֵית קוֹדֶשׁ הַקֳּדָשִׁים לְהוֹצִיא אֶת הַכַּף וְאֶת הַמַּחְתָּה שֶׁהִכְנִיס בְּשַׁחֲרִית.

See pages 76-78.

After he finished doing all of this, he came again to the *Mikveh*. He hurried and washed his hands and feet, and he took off his golden garments. He went down, immersed himself, emerged and dried himself. They brought him the white garments. He dressed, washed his hands and feet and entered the *Kodesh Hakodoshim* to take out the spoon-shaped vessel and the shovel that he had brought in that morning.

Fifth Immersion—Completion of *Avodah*

See pages 80-82.

Once again, he went to the *Mikveh*, washed his hands and feet, removed his white garments. He went down, immersed himself, emerged and dried himself. They brought him his golden garments, and he washed his hands and feet. He entered the *Heichal* in order to offer the *Ketores* of the evening and to light the candles (of the *Menorah*), as he would do on other days. He went out and brought the *Minchah* of the *Tamid* and the remainder of the *Chavitin*, and he poured the wine to the accompaniment of musical instruments, as the law requires. He then washed his hands and feet and took off his golden garments.

They brought him his own clothing and he put them on, and they accompanied him till his house. And he would make a celebration when he emerged safely from the *Kodesh Hakodoshim*.

וְעוֹד בָּא לוֹ לְבֵית הַטְּבִילָה וְקִדֵּשׁ יָדָיו וְרַגְלָיו וּפָשַׁט בִּגְדֵי לָבָן וְיָרַד וְטָבַל עָלָה וְנִסְתַּפָּג. הֵבִיאוּ לוֹ בִּגְדֵי זָהָב לָבַשׁ וְקִדֵּשׁ יָדָיו וְרַגְלָיו נִכְנַס לְהֵיכָל לְהַקְטִיר אֶת הַקְּטוֹרֶת שֶׁל בֵּין הָעַרְבַּיִם וּלְהַדְלִיק אֶת הַנֵּרוֹת כְּבִשְׁאָר יָמִים וְיָצָא וְהִקְרִיב מִנְחַת הַתָּמִיד וּמוֹתַר מִנְחַת חֲבִיתִּין וּמְנַסֵּךְ הַיַּיִן בְּכָל כְּלֵי שִׁיר כְּהִלְכָתוֹ וְקִדֵּשׁ יָדָיו וְרַגְלָיו וּפָשַׁט בִּגְדֵי זָהָב

הֵבִיאוּ לוֹ בִּגְדֵי עַצְמוֹ וְלָבַשׁ וּמְלַוִּין אוֹתוֹ עַד בֵּיתוֹ. וְיוֹם טוֹב הָיָה עוֹשֶׂה בְּצֵאתוֹ בְּשָׁלוֹם מִן הַקּוֹדֶשׁ.

Glossary

Footnotes

Dedications

GLOSSARY

Amah: a cubit (almost two feet); the distance between an average man's elbow and the tip of his middle finger

Aron: the holy Ark of the Torah

Avodah: the service in the *Bais Hamikdash*

Avodas Chutz: outer *Avodah*

Avodas P'nim: inner *Avodah*

Aymurim: parts of a *Korban* burned on the *Mizbayach*

Bais Din: court

Bigdai Lavan: white linen garments

Bigdai Zahav: golden garments

Chachamim: the Sages

Halachah L'Moshe Mi'-Sinai: an Oral Law not written in the Torah but transmitted directly by Hashem to Moshe

Har Habayis: the mountain in Yerushalayim on which the *Bais Hamikdash* was situated

Holachah: the *Avodah* of carrying the blood of a *Korban* to the *Mizbayach*

Kabalah: the *Avodah* of receiving the blood from a *Korban*

Kaf: a spoon-shaped vessel with a long handle

Kapores: the cover of the *Aron*, which was one *tefach*, (handbreadth) thick

Kav: volume measure

Kedushah: sanctity

Kehunah: the *Kohanim*, as a group

Ketores: incense brought as a *Korban*

Kiddush: sanctify by washing

Kiyor: a large vessel with water, which stood in the *Azarah*

Klal Yisrael: the Jewish nation

Kodoshim: sanctified objects and foods

Kodesh Hakodoshim: the most sanctified part of the *Haichal*

Kohain: descendant of Aaron who officiated in the *Bais Hamikdash*

Kohain Gadol: the head *Kohain*

Korban: sacrifice

Korban Tamid: a *Korban* brought each morning and afternoon

Korban Olah: a *Korban* which is completely burned on the *Mizbayach*

Korban Mussaf: a public *Korban* brought on *Shabbos, Yom Tov* and *Rosh Chodesh*

Lashon Hora: forbidden speech

Lechem Hapanim: (unleavened) bread placed on the *Shulchan* in the *Haichal*

Leviim: members of the family of Levi, who assisted in the *Bais Hamikdash*

Levonah: spices of a *Korban Minchah*

Lishkos: rooms in the *Bais Hamikdash*

Maarachah: a stack of logs on the *Mizbayach*

Memuneh: appointee

Menachos: plural of *Minchah*

Menorah: candelabrum in the *Haichal*

Mikvaos: plural of *Mikveh*

Mikveh: a pool of water meeting certain specifications, immersion in which removes *tuma*

Mil: a measure of distance

Milu'im: the inauguration of Aaron and his sons as *Kohanim*

Minchah: a *Korban* comprised primarily of flour and oil

Minchas Chavitin: a *Minchah* brought each morning and afternoon by the *Kohain Gadol*

Mizbayach: altar, usually referring to the large *Mizbayach* in the *Azarah*

Mizbayach Hazahav: golden altar in the *Haichal*

Mizrak: a vessel used to receive the blood of a *Korban*

Moneh: unit of value

Mussaf: see *Korban Mussaf*

Nessachim: *Korbanos* of wine; can also include an accompanying *Minchah*

Olah: see *Korban Olah*

Pahyis: assignment of the *Avodah*

Parah Adumah: a red cow whose ashes were mixed with water and used to remove *tuma*

Paroches: the curtain separating the *Kodesh Hakodoshim* from the rest of the *Haichal*

Payit: the passages in the *Tefillos* of *Yom Kippur* which describe the *Avodah*

Roshei Yeshivah: heads of Torah academies

Sanhedrin: the High Court

Sela: a coin of a particular weight

Shaar Hamayim: one of the entrances to the *Azarah*

Shechitah: slaughtering an animal by cutting its neck

Shulchan: table in the *Haichal* which held the *Lechem Hapanim*

Tahor: free of *tuma*

Tamay: spiritually impure

Tevillah: immersion in a *Mikveh*

Tishrei: the month in which *Rosh Hashanah* and *Yom Kippur* occur

Tuma: state of being *tamay*

Tziduki: member of a group which was unfaithful to the Oral Torah

Ulam: entrance area of the *Haichal*

Viduy: confession of sins

Zerikah: sprinkling the blood of a *Korban* on the *Mizbayach*

מראה מקומות לעבודת יוה"כ

במקום המלים "עד כאן לשונו" שמנו נקודה אחר לשון המחבר. וכל מה שנמצא בסוגריים אינו מלשון המחבר.

1. רמב"ם הלכות בית הבחירה פ"ה הלכה ד' וכל העזרה היתה קפ"ז על רוחב קל"ה, ושם הלכה ז' ולפני העזרה במזרח היתה עזרת הנשים והיא היתה אורך ק' אמה ול"ה על רוחב קל"ה.

2. שם הלכה ט' עזרת נשים היתה מוקפת גזוזטרא כדי שתהיינה הנשים רואות מלמעלן.

3. רש"י סוטה דף מ' ע"ב ד"ה בעזרת נשים וכו' והיא היתה חול כשאר הר הבית שלא נתקדשו אלא מן החומה ולפנים. וברמב"ם הלכות עבודת יו"כ פרק ד' הלכה ב' ויוצא לעזרת נשים וקורא שם.

4. רמב"ם מעשה קרבנות פרק ה' הלכה ב' קדשים קלים שחיטתן וכו' בכל מקום מן העזרה.

5. רמב"ם הלכות בית הבחירה פרק ב' הלכה ז' נמצא רוחבו שמונה ועשרים אמה וד' טפחים על כ"ח אמה וד' טפחים על כ"ח אמה וד' טפחים.

רמב"ם פרק ב' מעבודת יו"כ הלכה ג', כל הטבילות האלו והקדושין כולן במקדש חוץ מטבילה ראשונה ע"כ. ועיין בירושלמי יומא פרק ד' סוף הלכה ה' בקרבן העדה. ד"ה מקומן מעכב שמשמע שאם הכיור וכנו במקומן מותר לקדש בכל מקום בעזרה מדלא פירש כהפני משה שם. אמנם מסתברא שקידוש ראשון היה בין האולם ולמזבח מדקפיד קרא לקדש שם פעם אחת קודם העבודה, וגם בשאר קידושין כתב התפארת ישראל בפרק ז' משנה ג' שמסתמא היה מקדש במקום הכיור, ע"ש. אמנם אינו מוכרח שלר"מ ביומא לא ע"ב שפשט ואח"כ מקדש בוודאי היה מקדש על בית הפרוה וגם יש לחוש לחולשה דכה"ג כיומא מד: (ודברי התוספות יום טוב שם שלא כרש"י בפסוק כ"ג ועיין בזבחים כ"ב ע"א תוס' ד"ה קודח).

6. רמב"ם פרק ב' מעבודת יו"כ הלכה ה', בכל יום ויום היו על המזבח שלש מערכות של אש, ובפרק ב' מתמידין ומוספין הלכה ז' כשמסדר עצי מערכה גדולה מסדרה במזרח המזבח. ושם הלכה ח', ומסדר מערכה שניה של קטורת מכנגד קרן מערבית דרומית וכו'. ושם הלכה ט', מערכה שלישית של קיום האש עושה אותו בכל מקום שירצה.

7. רמב"ם תמידין ומוספין פרק ב' הלכה ה', שזה שנאמר על מוקדה על המזבח זו מערכה גדולה ואש המזבח תוקד בו זו מערכה שניה של קטורת והאש על המזבח תוקד בו זו מערכה שלישית של קיום האש.

8. רמב"ם פרק ב' מעבודת יו"כ הלכה ה', והיום היו שם ארבע. וברש"י יומא דף מ"ה ע"א ד"ה שמוסיפין לבו ביום ליטול ממנה גחלים לקטורת של לפני ולפנים.

9. רמב"ם הלכות תמידין ומוספין פ"ב ה' ז', בדשן שבאמצע המזבח והוא נקרא תפוח.

10. רמב"ם פ"א מבית הבחירה הלכה ז' ובונים בה בתים לשאר צרכי המקדש. כל בית מהם נקרא לשכה.

11. שם פרק ו' הלכה ז', הלשכות הבנויות בקוד ופתוחות לחול וכו' תוכן חול.

12. תוס' יו"ט מדות פרק ה' משנה ד' ד"ה אבא שאול אלא דאכתי איכא למידק וכו' היאך היתה דירת כ"ג שם שבעת ימים בתמידות וכו' אבל גם זה בעיני לא יפלא שאע"פ שהיתה בנויה בקודש היתה פתוחה לחול וכו'.

13. יומא דף י"ט ע"א, חמש טבילות וכו' וכולן בקודש על גג בית הפרוה חוץ מזו שהיתה בחול על גבי שער המים. (לפי גרסות רש"י שלנו ויקרא ט"ז, כ"ד, ד"ה במקום קדוש וז"ל אבל הראשונה היתה בחיל עכ"ל, מקוה שעל גבי שער המים היתה בחלק שבחיל.)

14. רמב"ם הלכות בית הבחירה פ"א הלכה ה' עושין בו קודש וקודש הקדשים, ויהי' לפני הקודש מקום אחד והוא הנקרא אולם, ושלשתן נקראין היכל, ושם פרק ג' הלכה י"ז מזבח הקטורת וכו' והוא נתון בהיכל מכוון בין הצפון לדרום משוך בין השלחן והמנורה לחוץ.

15. רמב"ם שם פרק ד' הלכה ב' בבית ראשון הי' כותל מבדיל בין הקודש ובין קודש הקדשים וכו'. מלכים א' פרק ו' פסוק י"ט ודביר בתוך הבית מפנימה ושם פסוק ל"א, ואת פתח הדבר עשה דלתות וכו'.

16. רמב"ם שם, ולא בנו כותל בבית שני אלא עשו שתי פרוכות אחת מצד קודש הקדשים ואחת מצד הקודש וביניהן אמה.

17. רמב"ם שם, הלכה א' אבן היתה בקודש הקדשים במערבו

שעליה הי' הארון מונח וכו' וכל אלו לא חזרו בבית שני. ועיין בבא בתרא דף כה: מש"כ בתוס' ד"ה וצבא השמים בשם הריצב"א.

18. רמב"ם מעשה הקרבנות פ"ו הלכה א' ושם פרק ה' הלכה ו' וזורק ממנו במזרק שתי זריקות על שתי זויות המזבח באלכסון וכו'.

19. שם פרק ה' הלכה ז' החטאות הנאכלות דמן טעון ארבע מתנות על ארבע קרנות המזבח החיצון מחצי המזבח ולמעלה וכו'. ושם פרק י' הלכה א' אכילת החטאת והאשם מצות עשה וכו'. ושם הלכות תמידין ומוספין פרק י' הלכה א', ושעיר החטאת והוא נאכל לערב.

20. רמב"ם הלכות מעשה הקרבנות פרק ה' הלכה י"א כל החטאות הנשרפות דמם נכנס לפנים להיכל וכו' ושירי הדם שופכין על יסוד המערבי של מזבח החיצון וכו'. ושם פרק ז' הלכה ב' וכיצד מעשה חטאות הנשרפות, שוחט וזורק דמם וכו' ומוציא שאריתן חוץ לעיר וכו' ושורפין אותן שם בבית הדשן.

21. רמב"ם הלכות מעשה הקרבנות פרק ב' הלכה א' היין והסולת שמביאין עם הקרבן הם הנקראין נסכים והסולת לבדה נקראת מנחת נסכים וכו'. ושם פרק יג' הלכה ב' וכיצד עשיית חביתי כה"ג וכו'.

22. רמב"ם, הלכות כלי המקדש פרק ב', הלכה י"א, מזבח הזהב שבהיכל עליו מקטירין הקטורת בכל יום.

23. רמב"ם הלכות ביאת המקדש פרק ה' הלכה ד' אין אדם נכנס לעזרה לעבודה אע"פ שהוא טהור עד שהוא טובל. (ועיין ברע"ב יומא פרק ג' משנה ג' לעבודה לאו דווקא.)

24. יומא דף ל"ז ע"א בן קטין עשה שנים עשר דד לכיור שלא היה לו אלא שנים.

25. רמב"ם הלכות ביאת המקדש פרק ה' הלכה ט"ז, כיצד מצות קידוש. מניח ידו הימנית על גבי רגלו הימנית וידו השמאלית על גבי רגלו השמאלית ושוחה ומקדש וכו'. ועיין בערוך השלחן העתיד סימן מ"ב סעיף י"ח, כיצד מצות קידוש, מניח ידו הימנית על גבי רגלו הימנית וכו' ופשוט הוא דבכי האי גוונא צריך אחר לשפוך על ידיו ורגליו דהוא בעצמו אין ביכלתו כמובן וכו'. ונראה דבקדוש צריך כח גברא וכו' ק"ו: קידוש ידים ורגלים במקדש עד הפרק וברש"י שם עד הפרק העליון מקום חיבור היד והזרוע.

ורמב"ם בפירוש המשנה, זבחים פרק ב' משנה א' וחוכך רגלו בידו משעת רחיצה (ויש גורסים ומשפשף רגלו בידו בשעת הרחיצה). וע"ע בשערי אהרן שמות ל' פסוק י"ט ד"ה ולפי מש"כ.

26. רמב"ם הלכות עבודת יו"כ פרק ב' הלכה ה' בכל יום כהן גדול מקדש ידיו ורגליו מן הכיור כשאר הכהנים והיום מקדש מקיתון של זהב. ועיין תוס' זבחים דף כ"ב ע"א ד"ה קודח מתוכו ושם בשיטה מקובצת אות כ"א וז"ל שנוטל אותו בכלי קטן ונותן אותו תוך הכיור ונוטל מימיו ומקדש בו וכה"ג כשרים לקדש כיון דמכלי גדול קא אתי.

27. רמב"ם הלכות תמידין ומוספין פ' ו' הלכה א' ויעמדו בלשכת הגזית ויפיסו פיים ראשון ושני.

28. מדות פרק ה' משנה ד' שבדרום לשכת העץ לשכת הגולה לשכת הגזית. ובתויו"ט שם שבדרום נ"א שבצפון.

29. רמב"ם הלכות תמידין ומוספין פרק ד' הלכה ג' כיצד מפייסין עומדין בהיקף ומסכימין על מנין שמונים, מאה או אלף או כל מנין שיסכימו עליו והממונה אומר להם הצביעו והן מוציאין אצבעותיהן אחת או שתים וכו' ומתחיל הממונה למנות מן האיש הידוע שהסיר מצנפתו תחילה ומונה על אצבעותיהן וחוזר חלילה עד שישלים המנין שהסכימו עליו והאיש ששלם המנין אצל אצבעו הוא שיצא בפיים ראשון לעבודה. ובכסף משנה בשם הריטב"א שזה שנוטל המצנפת לא הי' יודע סך המנין והאומר המנין לא הי' יודע ממי נטל המצנפת. ובפרוש המשנה להרמב"ם תמיד פ"ה משנה ג' והממונה רומז אל האיש שמתחיל ממנו המנין והי' מסיר ממנו המצנפת מעל ראשו ואח"כ משיבה עליו וכו', ע' בת"י יומא פרק ב' אות ב'.

30. רמב"ם פ"ד מתמידין ומוספין, הלכה ה' ארבע פייסות היו מפיסין בכל יום בשחרית.

31. שם הלכה ו' הפיים השני זוכין בו שלשה עשר על סדר עמידתן כיצד הממונה אמר להם הצביעו וכו' וזה שיצא בפיים ראשון הוא שוחט תמיד של שחר והשני שעומד בצדו וכו'.

32. רמב"ם שם פרק ב' הלכה י' הרמת הדשן מעל המזבח בכל יום מצות עשה וכו'. ושם הלכה יב' כיצד תורמין. מי שזכה לתרום וכו' ונוטל את המחתה ועולה לראש המזבח ומפנה את הגחלים אילך ואילך וחותה מן הגחלים שנתאכלו בלב האש ויורד למטה לארץ וכו' וצובר את הגחלים שחתה על גבי הרצפה.

33. שם הלכה י"ג, ואחר כך גורפין את הדשן במגריפות מכל צדדי המזבח ומעלין אותו ערימה על גבי התפוח.

34. שמות כ"ו פסוק ל"ה ואת המנורה נכח השלחן על צלע המשכן תימנה

35. ספר עבודת הקרבנות ס' נו' אות ב' בשם הרבה גאונים דהיינו הרמב"ן והרשב"א ורבינו גרשום מאה"ג והראב"ד ורש"י, ורבינו ברוך ב"ר יצחק והגר"א והריב"א, ולא כהרמב"ם פרק ג' הלכה י"ב מתמידין ומוספין.

36. רמב"ם הלכות תמידין ומוספין פ"ג הלכה ט"ז, לא הי' מטיב כל הנרות בפעם אחת אלא מטיב חמשת נרות ומפסיק ועושין עבודה אחרת, ואח"כ נכנס ומטיב השנים.

37. רמב"ם שם פרק ו' הלכה ג' ואחר שזורקין את הדם מטיב זה שבהיכל חמש נרות וכו' ושם הלכה ד' וזוכה בקטורת מי שזכה ונכנס ומקטיר ואחר כך נכנס זה שזכה בדישון המנורה ומטיב שתי הנרות.

38. תמיד פ"ג מ"ה בית המטבחיים היה לצפונו של מזבח. וברמב"ם שם פרק ו' הלכה א' וזה שזכה בשחיטתו מושכו לבית המטבחיים.

הלכות מעשה הקרבנות, פרק ה', הלכה א', וכל הזבחים קיבול דמן בכלי שרת ביד כהן.

39. רמב"ם שם שוחט את התמיד ואחר כך זורק הדם זה שקבלו.

40. רמב"ם מעשה הקרבנות פרק ד' הלכה ח' כיצד הוא עושה אוחז הסימנים בידו ומוציאן עם הורידין לתוך המזרק ושוחט שנים או רוב שנים כדי שיתקבל הדם כולו בכלי.

41. רמב"ם הלכות פסולי המוקדשים פ"א הלכה כ"ב קבלת הדם והולכתו למזבח וזריקתו וכו' כל אחת מאלו אינה כשרה אלא בכהן הכשר לעבודה ושם הלכה כ"ג והולכה שלא ברגל אינה הולכה.

42. רמב"ם מעשה הקרבנות פרק ה' הלכה ו' כשלוקח הכהן הדם במזרק וזורק ממנו במזרק שתי זריקות על שתי זויות המזבח באלכסון.

43. רמב"ם, תמידין ומוספין פרק ג' הלכה ד' ומי שזכה בקטורת נוטל כלי מלא קטורת וכו', ונכנס עמו אחד במחתה

של אש בידו, ושם הלכה ז', וזה שבידו המחתה צובר את הגחלים על גבי המזבח הפנימי ומרדדן בשולי המחתה ומשתחווה ויוצא.

44. שם הלכה ג' בעת שמקטירין הקטורת בהיכל בכל יום פורשין כל העם מן ההיכל וכו'.

45. שם הלכה ז' נוטל את הבזך מתוך הכף ונותנו לאוהבו או לקרוביו, וכו' נותן לו לתוך חפניו וכו' ומשתחווה ויוצא.

46. שם הלכה ח' ומתחיל ומשליך הקטורת על האש בנחת כמי שמרקד סולת עד שתתרדד על כל האש.

47. שם פרק ו' הלכה ה' ואחר כך מעלה זה שזכה באברים את האיברים מן הכבש למזבח.

48. שם ואחר כך מעלין סולת הנסכים ואחר הסולת מקטיר החביתין ואחר החביתין מעלין את היין לניסוך ובשעת הניסוך אומרים הלויים השיר. ובמסכת תמיד פרק ז' משנה ג', נתנו לו יין לנסך, הסגן עומד על הקרן והסודרים בידו ושני כהנים עומדים על שולחן החלבים ושתי חצוצרות של כסף בידם וכו', שחה לנסך והניף הסגן בסודרין והקיש בן ארזא בצלצל ודברו הלוים בשיר.

49. רמב"ם הלכות תמידין ומוספין, פ"א הלכה ג', לפי שאסור להקריב קרבן כלל קודם תמיד של שחר ולא שוחטין קרבן אחר תמיד של בין הערבים.

50. שם הלכה י' כמעשה תמיד של שחר כך מעשה תמיד של בין הערבים.

51. רמב"ם הלכות כלי המקדש פרק ח' הלכה ב' בגדי זהב הן בגדי כהן גדול והם שמונה כלים, הארבעה של כהן הדיוט ומעיל ואפוד וחושן וציץ.

52. רמב"ם הלכות עבודת יו"כ פ"ב הלכה א' כל מעשה התמידין והמוספין של יום זה כה"ג עושה אותן והוא לבוש בבגדי זהב ועבודות המיוחדות ליום זה בבגדי לבן ועבודה המיוחדת ליום זה היא וכו'.

53. רמב"ם הלכות עבודת יו"כ פ"ב הלכה ה' בכל יום כ"ג מקדש ידיו ורגליו מן הכיור כשאר הכהנים והיום מקדש מקיתון של זהב משום כבודו. (ומה שכתב רש"י במסכת יומא בדף ל"א ע"ב ד"ה וקידש ידיו ורגליו מן הכיור עכ"ל כבר כתב התיו"ט בפרק ג' משנה ד' ד"ה וקידש ידיו ורגליו פי'

הר"ב מן הכיור וכן פירש רש"י ולא דייקא וכו' ועי"ש ברש"ש).

54. רמב"ם, שם הלכה ב' וחמש טבילות ועשרה קידושין טובל כה"ג ומקדש בו ביום.

55. רמב"ם הלכות עבודת יו"כ פ"א הלכה ג' שבעת ימים קודם ליוה"כ מפרישין כה"ג מביתו ללשכתו שבמקדש ודבר זה קבלה ממשה רבינו.

56. שם הלכה ה' כל שבעת הימים מרגילין אותו בעבודות זורק את הדם ומקטיר את הקטורת וכו'.

57. שם הלכה ד' בשבעת ימים אלו מזין עליו מאפר הפרה וכו'.

58. שם הלכה ו' ולא היו מניחין אותו לישן שמא יראה קרי וכו'.

59. שם פרק ב' הלכה א' כל מעשה התמידין והמוספין של יום זה כהן גדול עושה אותן.

60. שם פ"ד הלכה א' סדר כל המעשים שביום זה כך הוא בחצות הלילה מפיסין לתרומת הדשן.

61. יומא דף ל"ג ע"א מצוה למרק וברש"י שם כדי להוציא הדם יפה.

62. יומא פרק ג' משנה ד' הביאו לו את התמיד קרצו. ובתפ"י שם אות כ"ג ר"ל הרגו ונקרא כך מדלא שחט רק רוב ב' הסימנים דשחיטת התמיד רק מדרבנן אינה כשרה רק בו. ושם בפרק ד' משנה ג' שחטו. ובתפ"י אבל לא קרצו כדלעיל דעבודת היום מדאורייתא אין כשר רק בו. (ועיי"ש בתוספות יו"ט באופן אחר). ובריטב"א יומא י"ב: ד"ה ה"ג וכו' דמדאורייתא אין חובה בכהן גדול אלא בעבודת היום ממש אבל תמידין ועבודת כל יום ויום כשרות אפילו בכהן הדיוט וכו' ורבנן שוו חובה בכה"ג אף בתמידין ולא התירו אלא דברים שאינן עיקר עבודה כאותו שאמרו קרצו ומרק אחר שחיטה על ידו.

63. תורת כהנים פרשתא א' פרק א' אות י"א, מנין שהוא טעון טבילה שנאמר ורחץ במים את בשרו ולבשם.

64. יומא דף ל"ב ע"א, ומנין שכל טבילה וטבילה צריכה שני קידושין ת"ל ופשט ורחץ, ורחץ ולבש. פירוש רש"י, הטיל

הכתוב ורחץ בין ופשט ולבש ליתן רחיצה לפשיטה ורחיצה ללבישה.

65. חזקוני, ומה שפירש רש"י קדוש ידים ורגלים מן הכיור היינו ממים שבכיור דקיימא לן במשנה טרף בקלפי אותו היום מקדש ידיו ורגליו מקיתון של זהב. רמב"ם פרק ב' מעבודת יו"כ, הלכה ג' כל הטבילות האלו והקדושין כולן במקדש חוץ מטבילה וכו' חוץ מטבילה ראשונה. ועיין בירושלמי יומא פרק ד' סוף הלכה ה' בקרבן העדה, ד"ה מקומן מעכב עכ"ל. שמשמע שאם הכיור וכנו במקומן מותר לקדש בכ"מ בעזרה מדלא פירש כהפני משה שם. אמנם מסתברא שקידוש ראשון הי' בין האולם ולמזבח מדקפיד קרא בהכיור לקדש שם (שמות ל' י"ח) ובשאר קידושין כתב התפארת ישראל בפרק ז' משנה ג' שמסתמא היה מקדש במקום הכיור ע"ש. אמנם אינו מוכרח שלר"מ ביומא ל"א ע"ב שפשט ואח"כ מקדש בוודאי היה מקדש על בית הפרוה, וגם יש לחוש לחולשה דכה"ג יומא מד: ולא להטריחו לילך למקום הכיור בכל פעם. (ודברי התפ"י שם שלא כרש"י בפסוק כ"ג וע' בזבחים כ"ב ע"א תוס' ד"ה קודח. ואין כאן מקום להאריך).

66. בשערי אהרן כאן, נמצא דמה שכתב כאן "והקריב" לפי דברי המשנה פירושו בצווי כלומר אהרן יצוה שיקריבו וכו'. ובפסוק ט' ד"ה והקריב אהרן הוראתו לשון קרבן ונאמר על ההקדש וכו' כאומר והקדיש אהרן וכו'.

67. גבורות ארי יומא דף ב' ד"ה ביתו, אלא וודאי אין בכלל ביתו דוידוי ראשון אלא אשתו לחוד ובוידוי שני נכללו בניו.

68. שערי אהרן ויקרא ט"ז פסוק ז' ד"ה גרסינן ביומא וכו' נמצא דמה שכתב ולקח והעמיד בעל כרחך לדעת המשנה אינו מתיחס על אהרן שוכר בתחילה רק הוא פועל סתמי שלא נזכר שם פועלו כאומר ולקח הלוקח יהי' מי שיהי' והעמיד.

69. אזניים לתורה ויקרא ט"ז פסוק ז' ד"ה לפני השם וכו', הרי לך שהעזרה נקראת גם כן "לפני השם" כמו קודש הקדשים והיינו בערכים שונים. רש"י ויקרא א' פסוק ג' ד"ה אל פתח אהל מועד, מטפל בהבאתו עד העזרה. ועיין שם במלבי"ם.

70. רש"י יומא דף לז,ע"א, ד"ה לצפון המזבח וכו' דאע"ג דלא שחיט ליה הכא מכל מקום כל מעשיו טעונין צפון.

71. יומא פרק ד' משנה א' הסגן בימינו וראש בית אב משמאלו.

72. תפארת ישראל יומא פרק ג׳ משנה ט׳ משום שבא עכשיו למזרח העזרה בין העם אינו ראוי שילך יחידי וכו׳.

73. שערי אהרן ויקרא ט״ז פסוק ט׳, ד״ה והקריב אהרן את השעיר וכו׳, מה שכתוב והקריב אין לו שום מובן כלל הקרבה זו מה היא וכו׳. אלא הוראתו על לשון קרבן. ונאמר על ההקדש וכו׳ והקדיש אהרן את השעיר.

74. שבועות פרק א׳ משנה ז׳ שדם הפר מכפר על הכהנים על טומאת מקדש וקדשיו.

75. עיין בתפארת ישראל יומא פרק ג׳ משנה ד׳, אות כ״ג ועיין בספר עבודת הקרבנות ס׳ קמ״א.

76. יומא פרק ד׳ משנה ג׳ שחטו וקבל במזרק את דמו ובת״י שם, אבל לא קרצו וכו׳. וע״ש ברש״ש (ולא כהתוס׳ יו״ט). ועיין במקדש דוד ס״ז ד״ה והנה בפרה פרק ג׳ משנה ט׳ אמרינן וכו׳ שחט בימינו ונתן הסכין לפניו או ליד חברו ואח״כ מקבל ע״ש ואמאי לא אמרינן ששחט בשמאל ויקבל בימין וכו׳ וע״כ צ״ל דזה דשוחט בימין הוא משום דדרך שחיטה לעשות בימין דקשה לשחוט בשמאל וכו׳ וע״ש עוד בד״ה מיהו וכו׳ כיון דהשחיטה צריכה להיות בכה״ג וא״כ עבודה היא וצריכה ימין.

77. רש״י יומא דף מ״ה: ד״ה שמוסיפין בו ביום ליטול ממנה גחלים לקטורת של לפני ולפנים.

78. יומא דף מג,ע״ב, רש״י ד״ה והיום ארוכה כדי שיתן ידו למטה מזרועו ותהא זרועו מסייעתו.

79. יומא פרק ה׳ משנה א׳, הגדול לפי גדלו והקטן לפי קטנו וכך היתה מדתה. ובתפארת ישראל שם הכף הי׳ כמדת חפניו ממש.

80. בשערי אהרן שמות פרק ט׳ פסוק ח׳, ד״ה מלא חפניכם פירושו פיסת הידים עם האצבעות.

81. ובתוס׳ יומא דף מז׳ ע״א, ד״ה וכך היתה מדתה וכו׳ טפי ניחא אם הכף היתה גדולה יותר דאי שוה למלא חפניו וכו׳ אי אפשר שלא יתפזר ויפול לארץ מעט.

82. בשיח יצחק יומא דף נ״ב ע״א בשם הירושלמי, דוחק הי׳ באצילי ידיו כדי שלא ישרפו הפרוכת ע״כ וע״ש פירושו.

83. יומא דף מ״ד ע״א, ותנא דבי ר׳ ישמעאל על מה הקטורת

מכפרת, על לשה"ר, יבא דבר שבחשאי ויכפר על מעשה חשאי. ועיין הביאור של החפץ חיים על תורת כהנים פרק ד' בהגה ד"ה וקפרך הגמרא וכו' מזה יוכל האדם להתבונן את חומר העון דלשה"ר דכהן גדול שהוא נכנס לפני ולפנים הוא פ"א בשנה ובתחילת הכל הי' עסקו לכפר על חטא הלשון.

84. יומא דף נ"ג ע"א, נתן בה עיקר מעלה עשן, הי' מתמר ועולה כמקל עד שמגיע לשמי קורה. כיון שהגיע לשמי קורה ממשמש ויורד בכותלים עד שנתמלא הבית עשן. וע' מה שכתב בזה הגרי"ז סוף ח"ג ד"ה בדין דצריך כה"ג להשהות עצמו ביו"כ פנימה עד שיתכסה ענן הקטורת וימלא הבית עשן וכו' הוא דין בכל עבודות שצריך הכהן להשהות במקום העבודה עד זמן כלות העבודה.

ועיין ברמב"ם הלכות עבודת יו"כ פרק ד' הלכה א' וצובר את הקטורת על גבי הגחלים בידו לפנים במחתה כדי שתהיה הקטורת קרובה לארון ורחוקה מפניו וכו'. ולא כמו שהוא מקטיר קטורת של כל יום כברמב"ם. פרק ג' מהלכות תמידין ומוספין הלכה ח' ומתחיל ומשליך הקטורת על האש בנחת כמי שמרקד סולת עד שתתרדד על כל האש.

85. יומא פרק ה' משנה א', ומתפלל תפלה קצרה בבית החיצון.

86. בתורת כהנים, פרק ג' אות יא' ולקח מדם הפר, נוטלו ממי שהוא ממרס בו.

87. עיין מה שפירש בחומש הגרש"ר הירש ז"ל על ויקרא ד' פסוק ה' בענין גורעין ומוסיפין ודורשין שפירש באופן אחר.

88. יומא דף נ"ה ע"א כשהוא מזה למעלה מצדד ידו למטה וכשהוא מזה למטה מצדד ידו למעלה. ובשערי אהרן ד"ה והזה באצבעו וכו' פני הכפורת פירושו חודו של כפורת שהיה עביו טפח על פני הכפורת משמע למעלה בחודה העליון של הכפורת.

89. יומא דף נ"ה ע"א מה ת"ל יזה לימד על הזאה ראשונה שצריכה מנין עם כל אחת ואחת וכו', (וע"ש שפליג ר"א, והרמב"ם פסק כר"א.) ובתורת כהנים, שבע פעמים, שיהי' מונה שבע פעמים, הרי אחת ושבע.

90. שבועות פרק א' משנה ו' ועל זדון טומאת מקדש וקדשיו שעיר הנעשה בפנים ויו"כ מכפרים. ושם משנה ז' כשם שדם השעיר הנעשה בפנים מכפר על ישראל כך דם הפר מכפר על הכהנים. ועיין באזניים לתורה פרק ט"ז פסוק ה' ולמה

ביוה"כ מביא הכה"ג קרבן גדול יותר משל ציבור וכו' הכהנים, שגם הם מתכפרים על טומאת מקדש וקדשיו בפרו של כה"ג, הנמצאים תמיד בביהמ"ק, עלולים לחטא בחטא זה יותר משאר העם.

91. שערי אהרן מש"כ וכפר, אין פירושו צווי. וברמב"ן פסוק י"ח הזאות שלפני הכפורת מכפרות על טומאת מקדש וקדשיו של לפני ולפנים. מדות פרק ד' משנה ה' ולולין היו פתוחין בעליה לבית קדש הקדשים שבהן היו משלשלין את האומנים בתיבות.

92. שבועות פרק א' משנה ב', יש בה ידיעה בתחילה ואין בה ידיעה בסוף, שעיר הנעשה בפנים ויוה"כ תולה עד שיודע לו ויביא בעולה ויורד. שבועות פרק א' משנה ז' כשם שדם השעיר הנעשה בפנים מכפר על ישראל כך דם הפר מכפר על הכהנים.

93. רמב"ם פרק ג' מהלכות תמידין ומוספין, הלכה ג' בעת שמקטירין הקטורת בהיכל בכל יום פורשין כל העם מן ההיכל ומבין האולם ולמזבח וכו' וכן בשעה שיכנס בדם החטאות הנעשות בפנים. ובפרק ד' מעבודת יו"כ הלכה ב' בשעת הקטרת הקטורת בקודש הקדשים כל העם פורשים מן ההיכל בלבד.

94. רמב"ן פסוק י"ח ד"ה ויצא וכו' והזאות שעל הפרוכת באהל מועד מכפרות על טומאת היכל וקדשיו כגון מנורה, ושלחן, ולחם הפנים ופרוכת עצמה.

ובאבן עזרא פסוק י"ז וכפר בעדו ובעד ביתו בפר חטאתו ובעד כל קהל ישראל בשעיר חטאתם.

95. מלבי"ם אות מ"ה ד"ה ויצא את המזבח וכו' היציאה היא תמיד חוץ למחיצה וכו' שעד עתה בעת הזיית הדם על הפרוכת עמד לפנים מן המזבח והצריכו הכתוב שיצא חוץ למזבח כולו וכו' וזה שאמר בגמרא ויצא אל המזבח עד דנפק מכולו מזבח ומצאנו לשון יציאה כשעובר איזה דבר שידמהו בעל הלשון כמחיצה וכו'.

בענין מקום עמידת הכה"ג שיטת רש"י יומא דף נ"ח ע"ב בד"ה ר"י הגלילי שבא לו כנגד קרן מזרחית דרומית ונותן עליה מלמעלה למטה ומקיף בידו במבואר בספר מבואי הקדשים ח"א דף צ"ז.

96. רמב"ן ד"ה ויצא וכו' ומתנות מזבח הפנימי והזאות שעליו מכפרות על טומאת מזבח עצמו וקדשיו כגון הקטורת.

97. לקוטי הלכות דף כ"א על פרק ה' דיומא אית מהן דנקטו לדינא דהקפה ביד כר"ע וכו' ואית מהן דנקטו כת"ק דמתניתן דהקפה ברגל וכו'.

98. זבחים, פרק ה' משנה א' שירי הדם הי' שופך על יסוד מערבי של מזבח החיצון.

99. יומא דף ס"א, ע"א ת"ר וכלה מכפר את הקודש וכו' מלמד שכולן כפרה בפני עצמן. מכאן אמרו נתן מקצת מתנות שבפנים ונשפך הדם יביא דם אחר ויתחיל בתחילה במתנות שבפנים וכו' גמר את המתנות שבפנים ונשפך הדם יביא דם אחר ויתחיל בתחילה בהיכל.

100. רש"י יומא דף ס"ו ע"א ד"ה בא לו וכו' בא לו הכהן אצל שעיר המשתלח במקום שהעמידו שם כנגד בית שלוחו. ועיין בשערי אהרן כאן שהניח בצ"ע. אמנם בפסוק ט' פירש והקריב לשון הקדש ע"ש.

101. חבור התשובה להמאירי פרק יג' ד"ה ונשוב וכן אמרו בשעיר המשתלח וכו' המיוחד שבעם והמנהגו מתוודה והוא שהוא הי' מעיר את הישן להיות כל אחד מתוודה על כל עוונותיו בפרט וכו' וכבר ידעת שאין שעיר המשתלח מכפר אלא לשבים, וכו' ומה שאמרו בקצת מקומות שמכפר על הקלות אף בלא תשובה ביאור אף על פי שלא התעורר תכלית הערה עד שיבא ממנו לידי תשובה גמורה וכו'. (ועיין רמב"ם הלכות תשובה פרק א' הלכה ב'). ובחיבור תשובה שם ד"ה ואחר המעשים וכו' ואחר שהתוודה עליו והתוודה עמו, כל מי שלבו נוקפו וכו'.

102. באבן עזרא, אחר שיסורו מישראל כאילו נתונים הם על ראש השעיר. ובחיבור התשובה להמאירי פרק י"ג ד"ה ונשב, והוא שרמז הרב בשעיר המשתלח שהוא להיות הערה לתשובת כל החטאים לא נרצה לזביחה וכו' אבל שירחק תכלית הרחקה ויושלך בארץ גזירה, הערה לעזיבת חטאים עזיבה גמורה עד שלא ישוב עוד בהם ואין ספק שאין החטאים משא שיעתק מגב האיש לגב השעיר אבל אלו המעשים כולם משלימים להביא מורא לנפש עד שתתפעל לתשובה.

103. יומא פרק ו' משנה ג' הכל כשרין להוליכו אלא שעשו הכהנים גדולים קבע ולא היו מניחין את ישראל להוליכו.

104. רש"י יומא דף סח: ד"ה אמרו לו לכהן גדול וכו' שאינו רשאי להתחיל בעבודה אחרת עד שהגיע שעיר למדבר. ועיין בחידושי הגרי"ז יומא סוף חלק ג' ד"ה בדין וכו' הוא דין בכל עבודות שצריך הכהן גדול להשהות במקום

העבודה עד זמן כלות העבודה וראיה לזה ממשנה יומא הגיע השעיר למדבר וכו' כדר"י הגיע השעיר למדבר נעשה מצותו. הרי דאינו רשאי לצאת מעזרה עד שיעשה מצות השלוח וכו'.

105. יומא פרק ו' משנה ח' מירושלים ועד בית חדודו ג' מילין. ושם משנה ד' עשר סוכות מירושלים ועד צוק תשעים רים שבעה ומחצה לכל מיל. וברע"ב וצ' רים הם י"ב מיל. ובבאור הלכה או"ח ס' קס"ג ד"ה ברחוק יותר וכו' חשבון הזמן של הילוך ד' מילין לאדם בינוני שהוא שיעור ע"ב מינוטין. (אמנם כאן שהלך עם השעיר אפשר שהוא קצת יותר).

106. בשערי אהרן ד"ה אמנם וכו' מה שכתב כאן ושלח פירושו שלוחו למיתה.

107. תרגום יונתן וידחיניה רוח זיקא מן קדם השם וימות.

108. יומא פרק ו' משנה ו' מה הי' עושה, חולק לשון של זהורית חציו קשר בסלע וחציו קשר בין שתי קרניו ודחפו לאחוריו וכו'.

109. רמב"ן ד"ה יוציא אל מחוץ למחנה וכו' יוציא המוציא.

110. רמב"ם הלכות עבודת יו"כ פרק ד' הלכה ב' ואחר כך משלח השעיר למדבר ומוציא אימורי פר ושעיר וכו' ומשלח השאר לבית הדשן לשריפה.

111. יומא דף ס"ח, ע"א, תנו רבנן יוציא אל מחוץ למחנה ושרפו להלן אתה נותן להם שלש מחנות וכו'. ובענין מקום בית הדשן עיין ברבינו גרשום מס' תמיד דף כ"ח ע"ב ד"ה החלו מעלין באפר וכו' מוציאין אותו הכל לחוץ להר המשחה

112. רמב"ם הלכות עבודת יו"כ פ"ג הלכה ח' כיון שהגיע שעיר למדבר יצא כה"ג לעזרת הנשים לקרות בתורה ובזמן קריאתו שורפין הפר והשעיר בבית הדשן.

113. יומא דף ס"ח ע"ב ברש"י ד"ה בא לקרות את הפרשה דילפינן ממלואים דאמרינן בפרק קמא דף ה: מניין שאף מקרא פרשה מעכב וכו'. ושם דף ב' ע"א כאשר עשה ביום הזה צוה השם לעשות לכפר עליכם וכו' לכפר אלו מעשי יוה"כ.

114. רמב"ן פסוק כג' ודרך הכתובים מקום להשלים הענין אשר התחיל בו לבד אעפ"י שיש בו קצת ענין מאוחר למה שיזכיר אחרי כן ולכן אמר ובא אהרן אל אהל מועד בבגדים האלה להשלים עבודתו בהם והיא הוצאת הכף והמחתה וכו'.

יומא דף ע"א, ע"א. וכל הפרשה כולה נאמרה על הסדר והא קראי כתיבי ואת חלב החטאת וכו' אימא חוץ מפסוק זו ואילך.

115. יומא דף ל"ב ע"א ומנין שכל טבילה וטבילה צריכה ב' קידושין ת"ל ופשט ורחץ ורחץ ולבש וכו'. ובערוך השלחן העתיד ס' קנ"ט סעיף ד' וכשם שלבגדי לבן טעון טבילה כמו כן לבגדי זהב וגם לבגדי זהב מרומז הטבילה דכתיב ופשט את בגדי הבד וגו' ורחץ את בשרו במים וכו' וזה שאמרנו מרומז לפי שעיקרו הוא להקידושים וכו'. ושם סעיף ה' ורחיצה זו היא הקידוש וכו' והטיל הכתוב ורחץ בין ופשט ובין ולבש לומר לך שאפשיטה טעון קידוש ואלבישה קידוש.

116. ספר לקט בהיר אות נ"ח, עתה אינו יוצא משום מקום וכו' אלא מאחר דעבודות הקודמות היו בהיכל ומעתה עובד בחוץ יציאה קרי ליה. ועיין בשערי אהרן ד"ה ויצא ועשה את עולתו פרש"י מן ההיכל וכו' וצ"ע וכי עתה הי' בהיכל וכו', אלא כוונת הכתוב לומר לנו שאל תאמר שעולתו ועולת העם מפני שבאים ג"כ בגלל חובת היום, גם הם מעשה פנים המה לכך נאמר ויצא וכו' ונ"ל דזהו כוונת הרמב"ן שכתב שכל הנעשה קודם לזה בבגדי לבן הכל מעשה פנים ואילו ואיל העם שיזכיר הם נעשים על המזבח החיצון.

117. ספורנו וכפר בעדו ובעד העם, כפרת הרהורי הלב הראויה לנקיי כפים וברי לבב זה בעולה.

118. לחם משנה, הלכות עבודת יוה"כ פרק ב' הלכה ב' ד"ה ומוציא משם כף ומחתה וכו' ולרש"י ז"ל בפירוש החומש הסכים למש"כ בגמרא דכף ומחתה מפסיק בין אילו ואיל העם לתמיד של בין הערביים אלא שדבריו שם תמוהים שכתב בפרשת אחרי מות וכו' ודברים אלו אתו דלא כמאן וכו'.

119. אבן עזרא ד"ה עולתו הוא האיל ואיל העם ופר העם ושבעת כבשיהם כי כן כתוב. אמנם המזרחי כתב באופן אחר, והקשה עליו הלחם משנה שם.

120. במזרחי ואת חלב החטאת אימורי פר ושעיר שלא נחשוב שחלב החטאת בלשון יחיד מורה על אימורי הפר או השעיר ולא על אימורי שניהם. ועיין יומא דף ס"ז: תוס' ד"ה אטו במגס מקטיר ליה כך הי' כתוב בספרים וכו' ורש"י מחקו לפי שהיה קשה לו דבכמה דוכתי במנחות קתני מעלה ומקטירה בכלי שרת וכו' ור"ת אומר דאין צריך להגיה הספרים וכו'.

121. יומא דף ע"א ע"א מאי טעמא אמר רב חסדא גמירי חמש טבילות ועשרה קדושין טובל כה"ג ומקדש בו ביום ואי אמרת

כסדרן כתיבי לא משכחת לה וכו'.

122. שם וכל הפרשה כולה נאמרה על הסדר והא קראי כתיבי וכו' אימא חוץ מפסוק זה ואילך.

123. וכן הוא בספר שערי אהרן פסוק כ"ג ד"ה נמצא לפ"ז כי המקראות שלא כסדרן כי מקומו של המקרא הזה הוא אחר פסוק כ"ח. (וע"ש ד"ה ומש"כ רש"י בסוף דבריו.)

124. בגור ארי' ד"ה מלמד שטעונין גניזה שאין לומר שיניח אותם ולא יוצאים חוצה דהא לא כתב שום מקום לפני זה דעליה קאי והניחם שם דאין לומר דקאי על בבואו אל הקודש או על ובא אהרן אל אוהל מועד ועליו אמר והניחם שם. א"כ יהי' כאן ביאה לקודש הקדשים בבגדי זהב. ועיין בחומש הרשר"ה ז"ל וברמב"ן פסוק כ"ג והניחם שם, במקום אשר יפשיטם. ובהעקידה ד"ה ואפשר כי יתכן שהיה שם מקום מוכן לבית גניזתם. ובספר הכתב והקבלה, והמקום המיוחד של פשיטת בגדי לבן וגניזתם שם היה בעזרת ישראל ומסתמא קרוב ללשכת הפרוה. וברמב"ם הלכות כלי המקדש פרק ח' הלכה ה' אלא נגנזין במקום שיפשוטו אותם, שנאמר והניחם שם.

125. יומא דף ע' ע"א ויום טוב הי' עושה לאוהביו בשעה שיצא בשלום מן הקודש ובמאירי שם יש מפרשים שלמחרתו היה עושה יום טוב.

126. רמב"ם הלכות עבודת יו"כ פרק ד' הלכה א' ואוחז שפת הכף בראשי אצבעותיו או בשיניו ומערה הקטורת בגודלו לתוך חפניו עד שמחזירה למלוא חפניו כשהיתה.

127. בחיבור התשובה פרק יג' ד"ה אחר וכיצד היה עושה היה אוחז בית יד של כף בשיניו וכו' וסומך ידיו לחלל הכף שבו הקטורת ומושך הקטורת בשני גודליו ומערה לתוך חלל ידיו.

128. רש"י יומא מ"ט: ד"ה כיצד הוא עושה וכו'. אוחז את ראש הבזך בראשי אצבעותיו וכו' וידה של בזך כלפי בין זרועותיו ומעלה בשני גודליו ומושך את ידה בגודליו לצד גופו מעט מעט עד שמגיע ראש ידה לבין אצילי ידיו (ובריטב"א פירש לעכבן) וראש הבזך מגיע לגובה פס ידו וחוזר ומחזירה דרך צדה לתוך חפניו.

129. ירושלמי יומא פרק ה' הלכה ב' (דף כז) כיצד הוא עושה, א"ר חנינה מניח את הכף בארץ וזורקה באויר וקולטה במחתה (ובקרבן העדה שם גרים ד"ה ה"ג מניח את המחתה בארץ וזורק הכף באויר וקולטה ופירש הק"ע מניח את המחתה בארץ ואח"כ זורק הכף למעלה והוא מתהפך ופושט שתי ידיו ומקבל

הקטורת. שמואל אומר בודדה ברגליו (נוטל הכף בין רגליו ושופך לתוך שתי חפניו) רבי יוחנן אומר מערה מתוך הכף והיא מתמרת ועולה (ולא הי' צריך לחפון שנית שכבר חפץ מבחוץ).

130. רמב"ם הלכות שגגות פרק יא' ה' א' שנוי יש בשגגת טומאת מקדש וקדשיו, מה שאין כן בשאר כריתות וכו' אבל בטומאת מקדש וקדשיו אינו מביא קרבן עולה ויורד עד שתהיה לו ידיעה לטומאה וידיעה לקודש או למקדש בתחילה וידיעה לטומאה וידיעה לקודש או למקדש בסוף והעלם בינתיים, ושם הלכה ט' טומאת מקדש וקדשיו שהיה לה ידיעה בתחילה ולא היה לה ידיעה בסוף, שעיר של יוה"כ הנעשה בפנים ויוה"כ תולין עד שיודע לו ויביא קרבן עולה ויורד. ושאין בה ידיעה בתחילה אבל יש בה ידיעה בסוף, שעיר הנעשה בחוץ ביום הכפורים ויום הכפורים מכפרין ועל שאין בה ידיעה לא בתחילה ולא בסוף שעירי הרגלים ושעירי ראש חדשים מכפרין ועל זדון מקדש וקדשיו פר כהן גדול של יום הכפורים מכפר. אם הי' המזיד מן הכהנים ואם היה מישראל דם שעיר הנעשה בפנים ויום הכפורים מכפרים. וע"ש בלחם משנה שם שהניח בצ"ע. ודעת רש"י בשבועות דף ב': ד"ה אלא שהפר מכפר על הכהנים כל ששעיר הפנימי מכפר על ישראל וכו'. וכן כפרת שעיר החיצון. פרו של כהן הקרב ביו"כ בפנים כמו שמפורש באחרי מות מכפר על הכהנים. 131. יומא פרק ד' משנה ב' קשרו לשון של זהורית בראש שעיר המשתלח.

132. שם דף מא: ולנשחט יקשרנו כנגד בית שחיטתו שלא יתערב זה בזה ולא יתערב באחרים.

133. שקלים פרק ד' משנה ב' ועיין יומא דף סח תוספות ישנים ד"ה חולק לשון של זהורית ובמסכת שקלים פרק התרומה מוכח דהאי לשון של זהורית דהכא אין זה לשון של זהורית שבראש שעיר המשתלח וכו'

134. כסף משנה הלכות עבודת יו"כ פ"ג הלכה ד', ויש לתמוה על רבינו שסתם במקום שהי' לו לפרש.

135. שיח יצחק, יומא דף מא: ד"ה אלא

136. ישעיה פרק א' פסוק י"ח

137. שבת דף פ"ו ע"א מנין שקושרין לשון של זהורית בראש שעיר המשתלח וכו'

138. ירושלמי שבת פרק ט' הלכה ג' בראשונה היו קושרין

אותו בחלונותיהם וכו'

139. יומא דף ס"ז ע"א בראשונה היו קושרין לשון של זהורית על פתח האולם מבחוץ וכו'.

140. יומא שם בא וישב לו תחת סוכה אחרונה עד שתחשך.

141. יומא דף ע' ע"א

142. לחם משנה פרק ב' הלכה ב' עבודת יוה"כ, ועיין בספר משאת ישראל מרבי ישראל כרמל ז"ל.

הערה

בקצת מקומות לא הקפדנו לצייר לפי שיטת רש"י רק תפסנו שיטת הרמב"ם או ראשון אחר. לדוגמא בבגדי כהונה ציירנו האפוד מגיע עד העקב כדעת רש"י שמות כ"ה פסוק ו' אבל המעיל עשינו כדעת הרמב"ם פרק ט' מכלי המקדש הלכה ג' שאין לו בית יד והמצנפת כדעת הראב"ד שם פ"ח הלכה ב' שמצנפת ארוך הרבה וכורך אותו כריכות הרבה ככריכות הישמעאלים, אבל מעשה המגבעות וכו' חדין מלמעלה והן קצרים. וכן בצורת המנורה תפסנו דעת הרמב"ם.

הציור של מעלות האולם הוא על פי הציורים של הרמב"ם סוף מסכת מדות. ושל הרובד הרביעי הוא לפי המאירי יומא מ"ג ע"ב שאינו לפנים מפתח האולם רק באותו תחום שבין האולם והמזבח.

בציור ההיכל ע' מדות פ"ד משנה א' שכל הבית טחו בזהב חוץ מאחרי הדלתות. אבל לא הקפדנו על דבר זה בהציור. ועיין ברמב"ם פרק א' מהלכות בית הבחירה הלכה ח' וז"ל כשבונין ההיכל והעזרה בונין באבנים גדולות וכו' מפצלין אותן מסתתין אותן מבחוץ ואח"כ מכניסין אותן לבנין. ושם בהלכה י"א ומייפין כפי כוחן, אם יכולין לטוח אותו בזהב ולהגדיל מעשיו הרי זה מצוה. ועיין מדות פרק ב' משנה ג' בתוס' יו"ט ד"ה נשתנו להיות של זהב לפי שכשעלו מן הגולה לא היו עשירים ולא יכלו לעשות

לזכר נשמת

הבחור יעקב יוסף בן שרגא פייוול

תנצב״ה

לזכר נשמת

גרשון דוד בן מרדכי

Mr. George David Fifch

תנצב״ה

לזכר נשמת

יעקב יוסף בן ברוך

Mr. George Yosef Miller

על ידי

Dr. Bert Miller

Mrs. Carol Miller

לזכר נשמת

הרב אשר אליהו צבי ווערניק

בן ר׳ פסח ענזיל

תנצב״ה

לזכר נשמת

יהודית בת ר׳ אפרים הכהן

A true woman of valor

Her love for Torah and Mitzvos

will always be remembered

לזכר נשמת

ברכה בת ר׳ יצחק

תנצב״ה

לזכר נשמת

צבי בן שמואל

והענא בת אהרן

ע״י בנם מאיר